당신도 영어로 전도할 수 있다

당신도 영어로 전도할 수 있다

지은이 • 김은철
초판 1쇄 펴낸 날 • 1995년 10월 30일
초판 2쇄 펴낸 날 • 1996년 2월 10일
펴낸이 • 김승태
편집장 • 김은주
표지디자인 • 양무리디자인
편집·교열 • 한윤순, 강명식, 이용태
홍보·기획 • 김석주, 서순옥
영업 • 최선기, 변미영, 이성근, 김대용
등록번호 • 제2-1349호(1992. 3. 31)
펴낸곳 • 예영커뮤니케이션
주소 • 110-616 서울 광화문우체국 사서함 1661
　　　　(출판부) T.269-8465~6 F.266-0386
　　　　(출판유통사업부) T.325-7971 F.325-7970
ISBN 89-85313-98-3

값 5,500원

당신도 영어로 전도할 수 있다

김은철 지음

예영커뮤니케이션

· · ·
머리말

한국 교회는 단기간에 폭발적인 성장과 내실 있는 성숙한 성장
이 어우러져 이제는 선교하는 교회로 발전하게 되었습니다. 세계
의 기독교 교회는 한국 교회를 부러워하며 배우기를 원하고 있습
니다. 그러나 과연 우리가 그들에게 무엇을 줄 수 있을까 하는
생각과 더불어 아직도 우리는 그들에게서 더욱 배우고 기도하며
주님의 교회를 섬겨야 하지 않을까 하는 생각도 듭니다. 더불어
계속적인 한국 교회의 성장과 그리스도인의 성숙한 생활을 위해
서 해외 선교를 끊임없이 해야 한다고 믿습니다.

요즈음 젊은 그리스도인들은 단기 선교여행을 통해 선교에 도
전받고 자신의 신분과 장래에 대해 거룩한 충격을 받습니다. 목
회자들도 성지순례, 선교여행 혹은 은혜의 부흥회를 통해 선교의
필요성과 의무감을 절실히 깨닫고 있습니다. 많은 선교사들이 자
신이 맡은 처소에서 사역하고 있지만 아직도 후원과 활동 면에서
부족합니다. 과감한 투자와 희생, 합리적인 선교 곧 정책이 계속
해서 뒤따라야 한다고 생각합니다. 그렇지 않으면 영국 교회처럼
곧 시들게 될 것입니다. 물론 여러 가지 다른 원인이 있겠지만
세계 선교를 2세기 동안이나 주도하던 영국이 지금은 선교지가
되었습니다. 심지어 여러 종교 단체들이 진을 치고 있는 실정입
니다.

물론 그루터기 신앙은 항상 있지만 해외 선교가 우리에게 주신

5

하나님의 명령이므로 한국 교회의 존재 자체와 계속적인 부흥의 모체가 되는 선교 한국을 위하여 조그만 전도 영어책을 만들었습니다. 아직 이런 책이 나오지 않았으므로 귀하게 쓰여질 것으로 믿습니다. 이 책이 나오도록 수고해 주신 예영커뮤니케이션 사장님께 감사를 드립니다.

1995년 5월 30일
김은철 목사

Contents · 차례

Contents • 차례

Contents · 차례

God
하나님

The Existence of God • 하나님의 존재

Christians are constantly challenged by atheists, skeptics and hecklers to prove that there is God.

그리스도인은 하나님의 존재를 증명하라고 무신론자, 회의론자, 그리고 야유하는 자들에 의해 끊임없이 도전을 받고 있습니다.

It is difficult for a natural man to believe in something that he cannot see, touch or feel(1Corin 2:14).

자연인이 자신이 보거나 만지거나 혹은 느낄 수 없는 어떤 것을 믿는다는 것은 어렵습니다(고린도전서 2:14).

The problem for Christians is solved with the first verse of the Bible : "In the beginning God created the heavens and the earth" (Genesis 1:1).

그리스도인에게 그 문제는 성경의 첫 구절에서 해결되었습니다. "태초에 하나님이 천지를 창조하시니라" (창세기 1:1).

15

The Bible is not a textbook that attempts to prove the existence of God. But, the Bible opens with a positive fact that God does exist.

성경은 하나님의 존재에 대한 증명을 시도하는 교과서는 아닙니다. 그러나, 성경은 하나님이 존재하신다는 긍정적인 사실로 시작합니다.

The Bible plainly states that it is the fool who denies the existence of God, "The fool says in his heart, 'there is no God' " (Psalm 14:1).

성경은 명백히 하나님의 존재를 부인하는 자를 어리석은 자라고 언급하고 있습니다. "어리석은 자는 그 마음에 이르기를 하나님이 없다 하도다" (시편 14:1).

The Bible says, "The heavens declare the glory of God ; the skies proclaim the work of his hands" (Psalm 19:1). "For since the creation of the world God's invisible qualities — his eternal power and divine nature — have been clearly seen, being understood from what has been made, so that men are without excuse(Romans 1:20).

성경은 말합니다. "하늘이 하나님의 영광을 선포하고 궁창이 그 손으로 하신 일을 나타내는도다" (시편 19:1). "창세로부터 그의 보이지 아니하는 것들 곧 그의 영원하신 능력과 신성이 그 만드신 만물에 분명히 보여 알게 되나니 그러므로 저희가 핑계치 못할지니라" (로마서 1:20).

16

The man who accepts the Bible will readily acknowledge the existence of God.

성경을 받아들이는 사람은 하나님의 존재를 쉽게 인정할 것입니다.

Some atheists may claim that their conscience does not tell them about God.

어떤 무신론자는 그들의 양심이 하나님에 관해서 자신에게 말하지 않는다고 주장합니다.

Some men are so blind that they may deny the existence of the sun in the sky, but that does not alter the fact that the sun exists, rises and sets every day.

어떤 사람은 눈이 멀어서 하늘에 있는 태양의 존재를 부인하지만 그렇다고 해서 매일 태양이 존재하여 뜨고 지는 사실을 바꾸지는 못합니다.

Men deny the existence of God not because they cannot find Him but because they are afraid to face a responsibility of being accountable to Him after death.

사람은 하나님의 존재를 부인합니다. 그것은 그들이 하나님을 발견할 수 없기 때문이 아니고 죽음 후에 하나님께 대한 자신의 행동에 대한 책임을 두려워하기 때문입니다.

Atheism is one of the devil's tools to put men to sleep without accepting salvation.

무신론은 구원을 받지 못하도록 사람을 잠재우는 사탄의 도구 중에 하나입니다.

If there is no God, I am not responsible to anyone. I can

live and die as I am pleased.

만일 하나님이 계시지 않다면 나는 누구에게도 책임을 지지 않으며 내가 좋아하는 대로 살고 죽을 수 있습니다.

But in a quiet time, the conscience of every man whispers, "There is God" and only fools deny it.

그러나, 조용한 시간에 모든 사람의 양심은 속삭입니다. "하나님은 살아 계신다." 다만 어리석은 자들은 이 사실을 부인합니다.

To look into a heaven and say that there is no God simply because we cannot see Him is as ridiculous as to look up a plane without seeing a pilot and say that the plane has no pilot.

하늘을 바라보면서 하나님이 보이지 않기 때문에 없다고 말하는 것은 비행기를 쳐다보고 조종사가 보이지 않는다고 해서 비행기에 조종사가 없다고 말하는 것처럼 어리석습니다.

Here is a book. Someone must have written it. No printing machine can produce a book by itself.

여기에 책이 있습니다. 어떤 사람이 쓴 것임에 틀림이 없습니다. 어떤 인쇄기라도 스스로 책을 발행할 수는 없습니다.

Someone built a house. Someone planted a tree. Someone operates a universe.

어떤 사람이 집을 지었습니다. 어떤 사람이 나무를 심었습니다.

어떤 사람이 우주를 운행합니다.

A watch not only exists but it has a designer. It is planned for a specific purpose.

시계는 존재할 뿐 아니라 디자이너도 있습니다. 시계는 특별한 목적을 위해 제작된 것입니다.

God said, "Let us make man in our image, in our likeness" (Genesis 1:26).

하나님은 "우리의 형상을 따라 우리의 모양대로 우리가 사람을 만들고" 라고 말씀하셨습니다 (창세기 1:26).

"So God created man in his own image, in the image of God he created him" (Genesis 1:27).

"하나님이 자기 형상 곧 하나님의 형상대로 사람을 창조하시되" (창세기 1:27).

Life comes from God. All life proceeds from God. The theory of spontaneous generation has been proved to be false and completely unacceptable to authoritative science.

생명은 하나님으로부터 옵니다. 모든 생명은 하나님으로부터 발생합니다. 자생의 원리는 거짓이라고 판명되었고 엄연한 과학으로 받아들일 수 없습니다.

The Person of God • 하나님의 인격

Personality is characterized by possessing knowledge, emotion and will.

인격은 지정의를 소유하는 것으로 특징지어집니다.

An idol is devoid of personality, for it does not know, feel or respond.

우상은 인격이 없습니다. 왜냐하면 우상은 지식도 느낌도 반응도 없기 때문입니다.

Our God is a living person with a definite character. "But the Lord is the true God. He is the living God" (Jeremiah 10:10).

우리의 하나님은 명확한 특성을 지닌 살아 계신 인격체이십니다. "오직 여호와는 참 하나님이시요 사시는 하나님이시요" (예레미야 10:10).

God is Spirit. "God is spirit, and his worshipers must worship in spirit and in truth" (John 4:24).

하나님은 영이십니다. "하나님은 영이시니 예배하는 자가 신령과 진정으로 예배할지니라" (요한복음 4:24).

The Lord our God is one God in contrast to the plurality of pagan gods. "Hear, O Israel : The Lord our God, the Lord is one" (Deuteronomy 6:4).

여호와 우리 하나님은 이방신의 다원성에 비교해 하나의 하나님 이십니다. "이스라엘아 들으라 우리 하나님 여호와는 오직 하나인 여호와시니" (신명기 6:4).

God is eternal. To be the true God He must have neither beginning nor ending. An idol is disqualified for it was made by someone, thus it had a beginning, "Before the mountains were born or you brought forth the earth and the world, from everlasting to everlasting you are God" (Psalm 90:2).

하나님은 영원하십니다. 참 하나님이 되시기 위해 그분은 시작도 끝도 없어야 합니다. 우상은 자격이 없습니다. 왜냐하면 누군가에 의해 만들어졌기 때문입니다. 그래서 우상은 시작이 있습니다. "산이 생기기 전, 땅과 세계도 주께서 조성하시기 전 곧 영원부터 영원까지 주는 하나님이시니이다" (시편 90:2).

God is unchanging. God cannot be changed. "I the Lord do not change." (Malachi 3:6)

하나님은 불변하십니다. 하나님은 변하지 않습니다. "나 여호와는 변역지 아니하나니" (말 3:6).

God possesses all power(omnipotent). "In the beginning God created the heavens and the earth" (Genesis 1:1). "And God said, 'Let there be light', and there was light" (Genesis 1:3).

"태초에 하나님이 천지를 창조하시니라" (창세기 1:1). "하나님이 가라사대 빛이 있으라 하시매 빛이 있었고" (창세기 1:3).

Man makes things out of existing materials. God creates out of non-existent materials.

사람은 기존의 재료를 가지고 물건을 만듭니다. 하나님은 무에서 유를 창조하십니다.

God is present everywhere at the same time (omnipresent). "Where can I go from your Spirit? Where can I flee from your presence? If I go up to the heavens, you are there ; if I make my bed in the depths, you are there(Psalm 139:7−8).

하나님은 동시에 모든 곳에 계십니다(무소부재). "내가 주의 신을 떠나 어디로 가며 주의 앞에서 어디로 피하리이까. 내가 하늘에 올라갈지라도 거기 계시며 음부에 내 자리를 펼지라도 거기 계시니이다" (시편 139:7−8).

God has all knowledge(omniscient). Nothing is hidden before the Lord. "The Lord knows the thoughts of man …" (Psalm 94:11).

하나님은 모든 지식을 갖고 계십니다(전지전능). 아무 것도 하나

님께 감출 수가 없습니다. "여호와께서 사람의 생각이 ··· 아시느
니라"(시편 94:11).

God is holy, loving, merciful, faithful, yet just and
righteous.
하나님은 거룩하시고 사랑하시며 긍휼하시고 신실하시며 또한 정
의로우며 공의로우십니다.

The love of God allows Him to forgive sin and to show
mercy upon a repentant sinner.
하나님의 사랑은 죄를 용서하고 회개하는 죄인에게는 긍휼을 보
입니다.

The holiness of God demands that we be holy. The
holiness of God separated Him from a fallen man. The
only way that man can approach this holy God is
through the blood of Christ.
하나님의 거룩함은 우리가 거룩하기를 요구하십니다. 하나님의
거룩함은 타락한 인간과 하나님을 분리시켰습니다. 인간이 이 거
룩한 하나님에게 접근할 수 있는 유일한 길은 그리스도의 보혈을
통하는 것입니다.

God is holy. God hates sin. The holiness of God
demanded punishment for sin.
하나님은 거룩하십니다. 하나님은 죄를 증오하십니다. 하나님의

거룩함은 죄에 대하여 벌을 요구하셨습니다.

God loves the world(John 3:16), which caused Him to think of a plan of salvation in order to give men the opportunity to escape wrath and damnation.

하나님은 세상을 사랑하십니다(요한복음 3:16). 이것은 인간에게 진노와 파멸에서 탈출할 수 있는 기회를 주는 구원의 계획을 생각하게 합니다.

God is faithful(1Corin 1:9). "Know therefore that the Lord your God is God ; he is the faithful God" (Deuteronomy 7:9).

하나님은 신실하십니다(고린도전서 1:9). "그런즉 너는 알라 오직 네 하나님 여호와는 하나님이시요 신실하신 하나님이시라"(신명기 7:9).

God' s faithfulness is manifested in keeping His promise and fulfilling every Word that He has spoken.

하나님의 신실함은 그의 약속을 지키고 그가 말씀하신 모든 말씀을 성취하심으로 나타났습니다.

God will keep every promise to protect, assist and guide His children in need.

하나님은 어려움에 있는 그의 자녀를 보호하고 돕고 인도하는 모든 약속을 지키실 것입니다.

God is merciful. "The Lord is compassionate and gracious, slow to anger, abounding in love" (Psalm 103:8).

하나님은 자비로우십니다. "여호와는 자비로우시며 은혜로우시며 노하기를 더디 하시며 인자하심이 풍부하시도다"(시편 103:8).

God is just and righteous and will mete out a righteous judgment to each individual.

하나님은 정의로우며 의로우십니다. 각 개인이 행한 대로 공정히 심판하실 것입니다.

How can God be both loving and demand holiness at the same time? How can He be both merciful and righteous at the same time to a guilty sinner?

어떻게 하나님은 동시에 사랑과 거룩함을 요구받을 수 있습니까? 어떻게 하나님은 유죄판결을 받은 죄인에게 동시에 자비와 정의를 베풀 수 있습니까?

The answer can be found only in Calvary. Calvary was the expression both of the wrath of God against sin and of the mercy of God toward a guilty sinner.

그 대답은 갈보리에서만 찾을 수 있습니다. 갈보리는 죄에 대한 하나님의 진노와 죄인에 대한 하나님의 자비의 표현이었습니다.

Calvary satisfies the holiness and the justice of God by

fulfilling all the requirements of the law and permits a sinner to enter the heaven legally.

갈보리는 율법의 요구를 이행함으로 하나님의 거룩함과 정의를 만족케 합니다. 그리고 죄인을 합법적으로 천국에 들어가도록 허락합니다.

The Activity of God • 하나님의 활동

God created everything. All that we possess belongs to God. Every good gift comes from God.

하나님은 만물을 창조하셨습니다. 우리가 소유하고 있는 모든 것은 하나님께 속한 것입니다. 모든 선한 선물은 하나님께로부터 옵니다.

God loves you and wants you to experience peace and life.

하나님은 당신을 사랑하시고 당신이 평화와 생명을 경험하기를 원하십니다.

God planned for us to have peace and eternal life.

하나님은 우리가 평화와 영생을 갖도록 계획하셨습니다.

God created man in his own image and gave free will to choose. He did not make him as a robot to choose God automatically.

하나님은 인간을 자신의 형상대로 창조하시고 선택할 자유의지를 주셨습니다. 그는 우리를 로봇처럼 자동적으로 하나님을 선택하도록 창조하지 않았습니다.

God is worthy of our praise because of His existence and activity.

하나님은 그의 존재와 그의 활동으로 인하여 우리의 찬양을 받으시기에 합당하십니다.

God is seeking people who will worship Him in spirit and truth.

하나님은 신령과 진정으로 그를 예배하는 자를 찾고 계십니다.

God did not cast away His people for the glory of His name(1Samuel 12:20-22).

하나님은 자신의 영광을 위하여 그의 백성을 버리지 않으셨습니다(사무엘상 12:20-22).

God gave his Son to vindicate the glory of his righteousness(Romans 3:25-26).

하나님은 그의 의의 영광을 증명하기 위하여 아들을 보내셨습니다(로마서 3:25-26).

God forgives our sins for his own sake(Isaiah 43:25).

하나님은 자신을 위해 우리의 죄를 용서하십니다(이사야 43:25).

God instructs us to do everything for his glory(1Corin 10:31).

하나님은 그의 영광을 위해 모든 것을 하라고 가르치십니다(고린도전서 10:31).

God tells us to serve in a way that will glorify him(1Peter 4:11).

하나님은 자신을 영광스럽게 하는 방법으로 섬기라고 말씀하십니다(베드로전서 4:11).

God' s plan is to fill the earth with knowledge of his glory(Habakkuk 2:14).

하나님의 계획은 그의 영광의 지식을 땅에 충만케 하는 것입니다(하박국 2:14).

God chose his people for his glory. "For he chose us in him before the creation of the world to be holy and blameless in his sight. In love he predestined us to be adopted as his sons through Jesus Christ, in accordance with his pleasure and will-to the praise of his glorious grace, which he has freely given us in the One he loves(Ephesians 1:4—6).

하나님은 자신의 영광을 위하여 그의 백성을 선택하셨습니다. "곧 창세 전에 그리스도 안에서 우리를 택하사 우리로 사랑 안에서 그 앞에 거룩하고 흠이 없게 하시려고 그 기쁘신 뜻대로 우리를 예정하사 예수 그리스도로 말미암아 자기의 아들들이 되게 하셨으니 이는 그의 사랑하시는 자 안에서 우리에게 거저 주시는 바 그의 은혜의 영광을 찬미하게 하려는 것이라"(에베소서 1:4-6).

God created us for his glory. "Bring my sons from afar and my daughters from the ends of the earth-everyone who is called by my name, whom I created for my glory" (Isaiah 43:6—7).

하나님은 그의 영광을 위하여 우리를 창조하셨습니다. "내 아들들을 원방에서 이끌며 내 딸들을 땅 끝에서 오게 하라. 무릇 내 이름으로 일컫는 자 곧 내가 내 영광을 위하여 창조한 자를 오게 하라"(이사야 43:6—7).

God forgives our sins for his own sake. "I, even I, am he who blots out your transgressions, for my own sake, and remembers your sins no more" (Isaiah 43:25).

하나님은 자신을 위하여 우리의 죄를 용서하십니다. "나 곧 나는 나를 위하여 네 허물을 도말하는 자니 네 죄를 기억지 아니하리라"(이사야 43:25).

Christus

Christ
그리스도

The Prophecy about Christ's Origin
• 그리스도의 기원에 관한 예언

Christ would come out of Israel. "A star will come out of Jacob ; a scepter will rise out of Israel" (Numbers 24:17).

그리스도는 이스라엘에서부터 오실 것이라고 하였습니다. "한 별이 야곱에게서 나오며 한 홀이 이스라엘에게서 일어나서" (민 24:17).

Christ was born a Jew, a descendant of Abraham, Isaac, Jacob and David(Matthew 1:1－17).

그리스도는 유대인, 곧 아브라함, 이삭, 야곱 그리고 다윗의 후손으로 태어났습니다(마태복음 1:1－17).

Christ would be born of the family of David and of the tribe of Judah. "The scepter will not depart from Judah … until he comes" (Genesis 49:10).

그리스도는 다윗의 혈통과 유대 지파에서 태어난다고 하였습니다. "홀이 유다를 떠나지 아니하며 … 실로가 오시기까지" (창세기 49:10).

These prophecies were fulfilled in our Saviour Jesus Christ(Luke 1:31－33).

이 예언들은 우리 구세주 예수 그리스도 안에서 성취되었습니다 (누가복음 1:31－33).

Christ would be born in Bethlehem(Micah 5:2).
Christ was born in Bethlehem(Luke 2:4－7).

그리스도는 베들레헴에서 탄생한다고 하였고(미가 5:2), 그리스 도는 베들레헴에서 탄생하셨습니다(누가복음 2:4－7).

Christ would be born of a virgin. "The virgin will be with child and will give birth to a son, and will call him Immanuel" (Isaiah 7:14). Christ was born of a virgin (Matthew 1:18).

그리스도는 처녀에게서 잉태한다고 하였습니다. "보라 처녀가 잉 태하여 아들을 낳을 것이요 그 이름을 임마누엘이라 하리라"(이 사야 7:14). 그리스도는 동정녀로부터 탄생하셨습니다(마태복음 1:18).

The Life of Christ · 그리스도의 생애

The birth of Jesus of the Virgin Mary is recorded in Matthew and Luke.

예수님의 동정녀 탄생은 마태복음과 누가복음에 기록되어 있습니다.

Jesus spent the early years of His life as a carpenter in Nazareth(Mark 6:3).

예수님은 어린 시절을 나사렛에서 목수로 지내셨습니다(마가복음 6;3).

Jesus began His ministry in Judea, Samaria and Galilee.

예수님은 유대, 사마리아, 그리고 갈릴리에서 사역을 시작하셨습니다.

Jesus' first miracle was performed at Cana in Galilee(John 2:1). And His second miracle, the healing of the Nobleman's son, in Capernaum(John 4:46–54).

예수님의 첫번째 기적은 갈릴리 가나에서 행해졌습니다(요한복음

2:1). 그리고, 두번째 기적은 가버나움에서 왕의 신하의 아들을
고친 것이었습니다(요한복음 4:46-54).

The second stage of Jesus' ministry covered a period of
six to eight months in Capernaum and Galilee. He
performed miracles, healed the sick and preached the
Gospel.
예수님 사역의 두번째 단계는 가버나움과 갈릴리에서의 6-8개월
기간입니다. 그는 기적을 행하시고 병자를 고치시고 말씀을 전하
셨습니다.

The third stage was the later Galilean ministry lasting
about a year near Galilee. Crowds followd Him.
세번째 단계는 갈릴리 근방에서의 약 1년간의 사역이었습니다.
군중들은 그를 따랐습니다.

The life of Jesus Christ on earth can be summarized in
the words of Acts 10:38. "He went around doing good
and healing all who were under the power of the devil."
지상에서의 예수님의 생애는 사도행전 10:38 말씀으로 요약할 수
있습니다. "저가 두루 다니시며 착한 일을 행하시고 마귀에게 눌
린 모든 자를 고치셨으니."

The Lord Jesus left us an example that we should follow.
"To this you were called, because Christ suffered for you,

leaving you an example, that you should follow in his steps" (1Peter 2:21).

주 예수님은 우리가 따라가야 할 모범을 남기셨습니다. "이를 위하여 너희가 부르심을 입었으니 그리스도도 너희를 위하여 고난을 받으사 너희에게 본을 끼쳐 그 자취를 따라오게 하려 하셨느니라"(베드로전서 2:21).

We are to walk as He walked(1John 2:6).
Christ came to do God's will and we should, too(John 8:29 ; Hebrews 10:7).

우리는 그가 걸으셨던 대로 걸어야 합니다(요일 2:6).
그리스도는 하나님의 뜻을 이루기 위해 오셨습니다. 우리도 그렇게 해야 합니다(요한복음 8:29 ; 히브리서 10:7).

The Miracle of Christ • 그리스도의 기적

If Jesus truly performed miracles, He is God, for man cannot perform true miracles.

만일 예수님이 정말로 기적을 행하셨다면 그 분은 하나님이십니다. 왜냐하면 인간은 진정한 기적을 행할 수 없기 때문입니다.

Jesus performed miracles not to show off or entertain, but to prove His Deity and cause men to believe in Him, His message and His Person(John 2:11, 20:31).

예수님은 자랑하거나 즐겁게 해 주기 위하여 기적을 베푸신 것이 아니라 그의 신성을 증명하고 그와 그의 메시지 그리고 그의 인격을 믿게 하기 위해 하신 것입니다(요한복음 2:11, 20:31).

Jesus performed incredible miracles over nature. He stilled the tempest, calmed the wind and water. He even walked on the water(Matthew 8:26—27, 14:25).

예수님은 자연에 대하여 기적을 행하셨습니다. 폭풍을 잔잔케 하고 바람과 물결을 가라앉히고 심지어 물 위를 걸으셨습니다(마태복음 8:26-27, 14:25).

Jesus performed miracles over devils(Mark 5:12 — 13).

예수님은 마귀를 물리치는 기적을 베푸셨습니다(마가복음 5:12 — 13).

Jesus performed miracles over disease — cleansed the leper ; healed the lame ; opened the eyes of the blind ; caused the dumb to hear ; made fevers to depart (Matthew 8:3, 12:10 — 13).

예수님은 병에 대하여 기적을 베푸셨습니다. 문둥병을 깨끗게 하시고 절름발이를 고치시고 귀머거리를 듣게 하시고 열병을 떠나게 하셨습니다(마태복음 8:3, 12:10 — 13).

Jesus performed miracles over death. He raised the dead(John 11:44 ; Matthew 9:23 — 25 ; Luke 7:12 — 15).

예수님은 죽음도 살리는 기적을 베푸셨습니다. 죽은 자를 살리셨습니다(요한복음 11:44 ; 마 9:23 — 25 ; 눅 7:12 — 15).

His miracles were performed openly in the presence of many witnesses and recorded by divine inspiration for our reading and believing.

그의 기적은 많은 증인 앞에서 베풀어졌습니다. 그리고 하나님의 영감으로 기록되어 우리가 읽고 믿도록 하였습니다.

39

In order to be a Saviour, Jesus have to be not only God, but he must also be a true man. He was like us in every respect except sinfulness. "For there is one God, and one mediator between God and men, the man Christ Jesus" (1Timothy 2:5).

구세주가 되기 위해 예수님은 하나님이실 뿐 아니라 참 인간이 되어야 합니다. 그는 죄성을 제외하고는 모든 면에서 우리와 같았습니다. "하나님은 한 분이시요 또 하나님과 사람 사이에 중보도 한 분이시니 곧 사람이신 그리스도 예수라"(딤전 2:5).

Jesus was born under the law that he might redeem us from the law(Galatians 4:4－5).

예수님은 율법 아래 나셨는데 우리를 율법에서 구원하시기 위함입니다(갈라디아서 4:4－5).

The first Adam brought death. Christ, the second Adam, brought resurrection(1Corin 15:21).

첫번째 아담은 죽음을 가져왔습니다. 두번째 아담인 그리스도는 부활을 가져왔습니다(고린도전서 15:21).

Jesus hated a sin so much that He was willing to die on Calvary to defeat a sin and offer righteousness to all who believe in Him.

예수님은 죄를 너무 싫어하셔서 죄를 파괴하고 그를 믿는 모든 자에게 의를 이루기 위해 갈보리에서 기꺼이 죽으셨습니다.

Galatians 3:13 says Christ was a curse for us under the

40

law. Romans 4:6 says God imputes righteousness to those who receive Jesus Christ as their Saviour.

갈라디아서 3장 13절에 그리스도는 율법 아래 있는 우리를 위해 저주가 되었다고 말씀하십니다. 로마서 4장 6절에서는 하나님은 예수 그리스도를 구세주로 영접하는 자에게 의를 주신다고 말씀 하십니다.

The Love of Christ • 그리스도의 사랑

Christ loves the church. "Christ loved the church" (Ephesians 5:25).

그리스도는 교회를 사랑하십니다. "그리스도께서 교회를 사랑하시고"(에베소서 5:25).

Jesus loves sinners(Luke 19:10).

예수님은 죄인들을 사랑하십니다(누가복음 19:10).

Jesus demonstrated His love by becoming poor that we might become rich. "For you know the grace of our Lord Jesus Christ, that though he was rich, yet for your sakes he became poor, so that you through his poverty might become rich" (2Corin 8:9).

예수님은 우리를 부요케 하기 위해 스스로 가난해 지심으로 그의 사랑을 나타내셨습니다. "우리 주 예수 그리스도의 은혜를 너희가 알거니와 부요하신 자로서 너희를 위하여 가난하게 되심은 그의 가난함을 인하여 너희로 부요케 하려 하심이니라"(고린도후서 8:9).

The supreme proof of His love was dying voluntarily for us. "Greater love has no one than this, that he lay down his life for his friends" (John 15:13).

예수님의 사랑에 대한 최고의 증명은 우리를 위하여 자발적으로 죽으신 것입니다. "사람이 친구를 위하여 자기 목숨을 버리면 이에서 더 큰 사랑이 없나니" (요한복음 15:13).

Jesus continues to manifest His love to us day by day with care and concern(Matthew 6:33).

예수님은 매일매일 돌보심과 관심으로 그의 사랑을 계속하여 나타내십니다(마태복음 6:33).

He came as the Good Shepherd to seek the lost sheep both of the Jews and of the Gentiles(John 10:16).

그는 유대인과 이방인의 잃어버린 양을 찾기 위하여 선한 목자로 오셨습니다(요한복음 10:16).

Jesus loved the multitude. He came to die for the world — all mankind(John 3:16).

예수님은 군중을 사랑하셨습니다. 그는 세상 즉, 모든 인류를 위하여 죽으셨습니다(요한복음 3:16).

43

But, His ministry was mostly one of individual soul winning, reaching people one by one.

그러나, 그의 사역은 그들 한 사람 한 사람에게 다가가시는 개인의 영혼 구원이었습니다.

He became a shepherd to the lost sheep. He became a Saviour to the doomed. He healed the sick. He cast out demons.

그는 잃어버린 양들에게 목자가 되셨습니다. 그는 멸망받을 자에게 구주가 되셨습니다. 그는 병든 자를 고치고 귀신을 쫓아내셨습니다.

In His conversation with Nicodemus, He told him that he had to be born again(John 3:1－15).

니고데모와의 대화에서 그에게 거듭나야 한다고 말씀하셨습니다 (요한복음 3:1－15).

In His talk with a Samaritan woman, He made her thirsty for Himself, the living water.

사마리아 여인과의 대화에서 그녀로 하여금 생수이신 예수님을 갈망하도록 하였습니다.

In John 10, Jesus revealed that He was the only door to salvation and that no man could be saved except through Him.

요한복음 10장에서 예수님은 자신이 구원으로 가는 유일한 문이며, 아무도 그를 통하지 않고는 구원을 받을 수 없다고 하셨습니다.

In Matthew 11:28—30, Jesus gave an invitation for the laborers and weary laden persons to come to Him for salvation and soul rest.

마태복음 11:28—30에서 예수님은 수고하고 무거운 짐진 자들에게 구원과 영혼의 안식을 얻게 하려고 초청하셨습니다.

The Command of Christ · 그리스도의 명령

Repentance is twofold : turning from sin and turning to God. "Repent, for the kingdom of heaven is near."

회개에는 두 가지 뜻이 있습니다. 죄로부터 돌아서는 것이며 하나님께로 나아가는 것입니다. "회개하라 천국이 가까왔느니라" (마태복음 4:17).

We are to believe the Gospel, believe in Christ and in the Father. "Repent and believe the good news" (Mark 1:15). "Trust in God ; trust also in me" (John 14:1).

우리는 복음을 믿어야 합니다. 그리스도와 아버지를 믿으십시오. "회개하고 복음을 믿으라" (마가복음 1:15). "하나님을 믿으니 또 나를 믿으라" (요한복음 14:1).

Each Christian is to be Sprirt-filled(John 20:22 ; Acts 1:8).

모든 그리스도인은 성령충만해야 합니다(요한복음 20:22 ; 행 1:8).

A believer has no choice but to follow Jesus completely,

"If anyone would come after me, he must deny himself and take up his cross daily and follow me" (Luke 9:23).

성도는 선택의 여지없이 예수님을 전적으로 따라가야 합니다. "아무든지 나를 따라 오려거든 자기를 부인하고 날마다 제 십자가를 지고 나를 좇을 것이니라" (누가복음 9:23).

Christian's life is to be characterized by prayer. "Pray that you will not fall into temptation" (Luke 22:40). "Pray for those who mistreat you" (Luke 6:28).

그리스도인의 생활은 기도로 특징지워져야 합니다. "시험에 들지 않기를 기도하라" (누가복음 22:40). "너희를 저주하는 자를 위하여 기도하며" (누가복음 6:28).

Christians are to love and serve God completely. "Love the Lord your God with all your heart and with all your soul and with all your mind and with all your strength" (Mark 12:30).

그리스도인은 하나님을 온전히 사랑하고 섬겨야 합니다. "네 마음을 다하고 목숨을 다하고 뜻을 다하고 힘을 다하여 주 너의 하나님을 사랑하라" (마가복음 12:30).

We are to love, forgive each other. "My command is this : Love each other as I have loved you" (John 15:12).

우리는 서로를 사랑하고 용서해야 합니다. "내 계명은 곧 내가 너희를 사랑한 것 같이 너희도 서로 사랑하라 하는 이것이니라"

(요한복음 15:12).

Each believer is to preach the Gospel where he is. "Go into all the world and preach the good news to all creation" (Mark 16:15).

모든 성도는 자기가 처한 곳에서 복음을 전해야 합니다. "너희는 온 천하에 다니며 만민에게 복음을 전파하라" (마가복음 16:15).

John 14:23 says, "If anyone loves me, he will obey my teaching." This is a true motive. Use these commands as an inventory to check your personal lives before God. Jesus gives us these commands as a guide to follow Him.

요한복음 14장 23절에서는 "사람이 나를 사랑하면 내 말을 지키리니"라고 기록되어 있습니다. 이것이야말로 진실한 동기입니다. 이 계명을 하나님 앞에서 당신의 개인적인 삶을 점검하는 명세서로 사용하십시오. 예수님은 자신을 따르라는 안내서로 이런 계명을 주셨습니다.

The Death of Christ · 그리스도의 죽음

Why did the Lord Jesus, a sinless one, have to die? We can understand how a guilty person would have to die as a result of sin.

왜 죄가 없으신 주 예수께서 죽으셔야 했습니까? 우리는 죄인은 죄의 결과로 죽을 수밖에 없다는 것을 이해하고 있습니다.

Jesus took our sin and died for us. He volunteered to die for us. Sin demanded a payment — a death penalty. Only Christ could pay it in full.

예수님은 우리의 죄를 지고 우리를 위해 죽으셨습니다. 그는 우리를 위해 자발적으로 죽으셨습니다. 죄는 그 대가로 죽음의 형벌을 요구합니다. 오직 예수님만이 그것을 완전히 지불할 수 있습니다.

A nature of God's love could not forgive sin until His legal nature was satisfied. In Calvary all the attributes of God found a perfect solution.

하나님의 사랑의 본질은 그의 정의의 본질이 만족한 후에야 비로소 죄를 용서할 수 있습니다. 갈보리에서 하나님의 모든 속성이 완전한 해결로 나타났습니다.

The death of Jesus Christ is sufficient for every sinner. He died for sin of the whole world. He died for your sin and particularly for my sin.

예수님의 죽음은 모든 죄인을 위해 충분하셨습니다. 그는 전 세계의 죄를 위하여 죽으셨습니다. 그는 당신의 죄와 특별히 나의 죄를 위해 죽으셨습니다.

Since Christ died for the world, every man has a right to choose a salvation. Man may choose not to respond to Christ's offer ; but if he is not given a chance to respond, we have sinned against him.

그리스도께서 세상을 위해 죽으셨으므로 모든 사람은 구원을 선택할 권리가 있습니다. 사람은 그리스도의 구원에 응답하지 않을 수도 있지만 만일 그에게 응답할 기회가 주어지지 않는다면 우리는 그에게 죄를 지은 것입니다.

The Resurrection of Christ · 그리스도의 부활

Christianity is the only religion with a living originator. Buddha(in Buddhism) has died ; Brahma(in Hinduism) has died ; Mohammad(in Islam) has died ; Karl Marx(in Communism) has died.

기독교는 창시자가 살아 있는 유일한 종교입니다. 부처(불교)도 죽었고 브라마(힌두교)도 죽었고 모하메드(이슬람교)도 죽었고 칼 마르크스(공산주의)도 죽었습니다.

The pride and glory of Christianity is an empty tomb. Jesus has risen.

기독교의 자랑과 영광은 빈 무덤입니다. 예수님은 부활하셨습니다.

On the cross Jesus cried, "It is finished," and the Father said, "Amen" by resurrecting the Son from the dead.

십자가에서 예수님은 "다 이루었다"고 외쳤습니다. 아버지는 죽은 자로부터 아들을 부활시키면서 아멘으로 화답하셨습니다.

51

If Jesus did not rise from the grave, we are all men miserable, for we are yet in our sin ; we are lost ; eternally lost(1Corin 15:16－19).

만일 예수님이 무덤에서 사시지 않았다면 우리 모두는 불쌍한 사람입니다. 이는 우리가 죄 가운데 있고 잃어버린 바 되고 영원히 잃어버린 바 되기 때문입니다(고린도전서 15:16－19).

Jesus said that He would die and rise again from the dead on the third day(Matthew 16:21).

예수님은 죽은 지 사흘 만에 다시 살아나신다고 말씀하셨습니다 (마태복음 16:21).

If the Resurrection is true, Jesus is indeed the Son of God. If this is true, then it is easy to believe all the rest in the Bible.

만일 부활이 사실이라면 예수님은 참으로 하나님의 아들이십니다. 이것이 사실이라면 성경의 나머지 말씀은 믿기 쉽습니다.

The Resurrection proves the existence of God. If there is no God, how did Christ rise from the dead? He rose because the living God resurrected Him.

부활은 하나님의 존재를 증명합니다. 만일 하나님이 계시지 않는다면 어떻게 그리스도께서 죽음에서 살아나셨습니까? 살아 계신 아버지께서 그를 부활시키셨기 때문에 그는 살아났습니다.

The Resurrection means that salvation is the accomplished fact. Jesus said that salvation was completed when He died on the cross, which the Resurrection confirms it.

부활은 구원이 성취된 사실을 의미합니다. 예수님은 구원이 십자가에서 완성되었다고 말씀하십니다. 그리고 부활은 그것을 확인해 줍니다.

■참고

Evidence of the Resurrection • 부활의 증거

1. The empty tomb(Matthew 28:6)
   빈 무덤(마태복음 28:6)
2. The testimony of angels(Luke 24:5—6)
   천사의 증거(누가복음 24:5—6)
3. People who talked to Him after the Resurrection :
   Peter, Mary, Cleopas and Thomas
   부활 후 예수님과 대화한 사람들 : 베드로, 마리아, 글로바,
   도마
4. Jesus ate, drank, and showed His wounds.
   예수님은 먹고 마시고 상처를 보여 주셨다.
5. Five hundred people who saw Him at one
   time(1Corin 15:6)
   한번에 예수님을 본 500명의 무리(고린도전서 15:6)
6. His appearance to Stephen at his martyrdom(Acts
   7:56)
   순교하는 스데반에게 나타나심(사도행전 7:56)
7. His appearance to Paul on the Damascus road(Acts
   9:5)
   다메섹 도상에서 바울에게 나타나심(사도행전 9:5)
8. Many infallible proofs(Acts 1:3)
   많은 확실한 증거들(사도행전 1:3)
9. The existence of church
   교회의 존재

The Holy Spirit
성령

The Person of the Holy Spirit • 성령의 인격

The Holy Spirit has been sent by the Father and the Son to exist in and guide believers.

성령은 성도 속에 내재하고 인도하기 위하여 아버지와 아들로부터 보내심을 받았습니다.

Many people profess to believe in the Holy Spirit but actually they believe in God the Father and God the Son. They believe that the Holy Spirit is inferior God. It is wrong.

많은 사람들이 성령을 믿는다고 고백하지만 사실상 성부 하나님, 성자 하나님을 더 믿습니다. 성령을 열등한 하나님으로 믿고 있습니다. 그것은 잘못된 것입니다.

The Holy Spirit is God, who is equal to Father and Son. He ought to be worshipped as well.

성령은 아버지와 아들과 동등한 하나님이십니다. 그도 예배를 받아야 합니다.

He is a person, not a power or an influence. If He is a person, we must know and communicate with him personally.

그는 능력이나 영향력이 아니라 한 인격입니다. 그가 인격이라면 우리는 그를 인격적으로 알아야 하며 그와 교통해야 합니다.

If He is a person, we must get to know Him more intimately and personally.

만일 그가 인격이라면 우리는 더욱 친밀하고 인격적으로 알아야 합니다.

The Holy Spirit searches the deep things of God. "But God has revealed it to us by his Spirit. The Spirit searches all things, even the deep things of God" (1Corin 2:10).

성령은 하나님의 깊은 것을 관찰합니다. "오직 하나님이 성령으로 이것을 우리에게 보이셨으니 성령은 모든 것 곧 하나님의 깊은 것이라도 통달하시느니라" (고린도전서 2:10).

The Holy Spirit can speak. "He who has an ear, let him hear what the Spirit says to the churches" (Revelation 2:7).

성령은 말씀할 수 있습니다. "귀 있는 자는 성령이 교회들에게 하시는 말씀을 들을지어다" (계 2:7).

The Holy Spirit intercedes. "In the same way, the Spirit

helps us in our weakness. We do not know what we ought to pray for, but the Spirit himself intercedes for us with groans that words cannot express" (Romans 8:26).

성령은 중보하십니다. "이와 같이 성령도 우리 연약함을 도우시나니 우리가 마땅히 빌 바를 알지 못하나 오직 성령이 말할 수 없는 탄식으로 우리를 위하여 친히 간구하시느니라" (로마서 8:26).

The Holy Spirit testifies : "When the Counselor comes, whom I will send to you from the Father, the Spirit of truth who goes out from the Father, he will testify about me" (John 15:26).

성령은 증거하십니다. "내가 아버지께로서 너희에게 보낼 보혜사 곧 아버지께로서 나오시는 진리의 성령이 오실 때에 그가 나를 증거할 것이요" (요한복음 15:26).

The Holy Spirit teaches : "But the Counselor, the Holy Spirit, whom the Father will send in my name, will teach you all things and will remind you of everything I have said to you" (John 14:26).

성령은 가르치십니다. "보혜사 곧 아버지께서 내 이름으로 보내실 성령 그가 너희에게 모든 것을 가르치시고 내가 너희에게 말한 모든 것을 생각나게 하시리라" (요한복음 14:26).

The Work of the Holy Spirit • 성령의 사역

The Holy Spirit was active in creation. "The Sprit of God was hovering over the waters" (Genesis 1:2).

성령은 창조에 있어서 활동적이었습니다. "하나님의 신은 수면에 운행하시니라" (창세기 1:2).

He will convince the world of sin because they do not believe in Jesus Christ. He will convince the world of righteousness because Christ was completely rightous. It is the work of the Holy Spirit to bear witness of Christ and Calvary constantly.

그는 세상에 대하여 죄를 깨닫게 할 것입니다. 왜냐하면 세상은 예수 그리스도를 믿지 않기 때문입니다. 그는 세상에 의를 깨닫게 할 것입니다. 왜냐하면 그리스도는 완전하게 의로우셨기 때문입니다. 끊임없이 그리스도와 갈보리를 증거하는 것이 성령의 사역입니다.

The Holy Spirit is the author of the Scriptures(2Peter 1:20－21). The Holy Spirit is also the interpreter of the Scriptures to us(John 16:14).

성령은 성경의 저자입니다(베드로후서 1:20-21). 성령은 또한 성경의 해석자입니다(요한복음 16:14).

He assures the believer of sonship and makes him sonlike(Romans 8:16－17).

그는 성도에게 양자됨을 확신시키며 아들같이 만드십니다(로마서 8:16-17).

He seals the believer as a pledge(2Corin 1:22).

그는 성도를 보증으로 인치십니다(고린도후서 1:22).

He fills the believer with Himself, giving a victorious life(Acts 1:4－8 ; Ephesians 5:18).

그는 승리의 삶을 살도록 성도를 성령으로 채워 주십니다(사도행전 1:4-8 ; 에베소서 5:18).

He santifies the believer, sets him apart into holiness(2Thes 2:13 ; 1Peter 1:2).

그는 성도를 거룩하게 하시고 성결함으로 구별하십니다(데살로니가후서 2:13 ; 베드로전서 1:2).

He abides continuously with the believer(John 14:16).

그는 계속적으로 성도와 함께 거하십니다(요한복음 14:16).

61

He takes the Word of God and teaches the believer(John 14:26 ; 1Corin 2:13).

그는 하나님의 말씀을 가지고 성도들을 가르치십니다(요한복음 14:26 ; 고린도전서 2:13).

He brings to remembrance the things that we have faithfully learned(John 14:26).

그는 우리가 신실하게 배운 것을 생각나게 하십니다(요한복음 14:26).

He testifies to us about the Saviour. He constantly reveals Christ(John 15:26).

그는 구세주에 관해 우리에게 증거하십니다. 그는 계속해서 그리스도를 계시하십니다(요한복음 15:26).

He guides the believer into all truth(John 16:13).

그는 성도를 모든 진리로 인도하십니다(요한복음 16:13).

He takes the things of Christ and reveals them to us(John 16:14).

그는 그리스도의 것을 가지고 우리에게 계시하십니다(요한복음 16:14).

He gives us a power to obey God in the time of weakness, which strengthens us(Ezekiel 36:27).

그는 연약할 때에 하나님께 순종하도록 힘을 주셔서 우리를 격려
하십니다(에스겔 36:27).

He gives the believer a power to obey the truth,
irrespective of cost(1Peter 1:22).

그는 어떠한 대가를 치루더라도 진리를 순종하는 능력을 주십니
다(베드로전서 1:22).

He gives the believer a freedom from the law of sin and
death(Romans 8:2).

그는 성도에게 죄와 죽음의 법으로부터 자유를 주십니다(로마서
8:2).

He takes a weak believer and fulfills the law of
righteousness in him.(Romans 8:3).

그는 연약한 성도를 돌보시고 그 안에서 의의 법을 성취하십니다
(로마서 8:3).

He gives the believer a power to please God by granting
a victory over the flesh(Romans 8).

그는 육신에 대하여 승리를 허락함으로써 성도가 하나님을 기쁘
게 할 수 있는 능력을 주십니다(로마서 8장).

He directs the believer in his prayer life to pray in the

will of God(Romans 8:26).

그는 하나님의 뜻 안에서 기도하도록 성도의 기도 생활을 지도하십니다(로마서 8:26).

He gives the believer a victory over the terrible desires of the flesh(Galatians 5:16).

그는 성도에게 무서운 육체의 정욕을 이기는 승리를 주십니다(갈라디아서 5:16).

He leads the believer from under the law to liberty in Christ(Galatians 5:18).

그는 성도를 율법 아래서 그리스도의 자유로 인도하십니다(갈라디아서 5:18).

He is the One who causes us to bear the fruit of the Spirit(Galatians 5:22－23).

그는 성령의 열매를 맺게 하시는 분이십니다(갈라디아서 5:22－23).

He gives us a holy walk as we are led by the Holy Spirit(Galatians 5:25).

성령의 인도함을 받을 때 우리는 거룩한 삶을 영위합니다(갈라디아서 5:25).

He assists us in putting away things that displease our

Father God(Ephesians 4:30 – 32).

그는 아버지 하나님을 기쁘게 하지 않는 것을 제거하는 데 도움을 주십니다(에베소서 4:30 – 32).

He gives a rest to the soul that trusts in the Lord(Isaiah 63:14).

그는 주님을 신뢰하는 영혼에게 안식을 주십니다(이사야 63:14).

He makes Jesus Christ Lord in our private lives(1Corin 12:3).

그는 우리의 개인 생활에서 예수 그리스도를 주님으로 만듭니다 (고린도전서 12:3).

He gives liberty and freedom to the child of God(2Corin 3:17).

그는 하나님의 자녀에게 해방과 자유를 주십니다(고린도후서 3:17).

He gives fulness of joy, complete happiness and satisfaction to the saints(Acts 13:52).

그는 성도에게 충만한 기쁨, 완전한 행복과 만족을 주십니다(사도행전 13:52).

He strengthens an inward man with spiritual power —

power to resist(Ephesians 3:16).

그는 속사람의 영적인 능력 즉, 저항력을 강하게 합니다(에베소서 3:16).

He empowers us to impart truth to others(Acts 1:8 ; 1Corin 2:1−4).

그는 우리에게 능력을 주셔서 진리를 전할 수 있게 합니다(사도행전 1:8 ; 고린도전서 2:1−4).

He calls men in Christ and directs them in the service(Acts 8:27−29, 13:2−4).

그는 사람을 그리스도 안으로 불러서 봉사하도록 인도하십니다(사도행전 8:27−29, 13:2−4).

He directs every aspect af the believer's life and service(Matthew 4:1).

그는 성도의 생활과 봉사에 대해 상세하게 인도하십니다(마태복음 4:1).

The Spirit-filled Life · 성령충만한 생활

Disciples were to tarry in Jerusalem waiting for Pentecost(Luke 24:49). Acts 2:4 was the fulfilment of this promise when the Spirit came to abide.

제자들은 오순절을 기다리며 예루살렘에 머물러야 했습니다(누가복음 24:49). 사도행전 2장 4절은 이 약속의 성취였습니다. 성령이 거하시기 위해 오신 것입니다.

It is necessary for all Christians to have a fullness of Spirit. It is not necessary for salvation. Every believer in Jesus Christ needs the filling of Holy Spirit.

성령충만은 모든 그리스도인에게 필요합니다. 구원에는 필요 없으나 예수 그리스도를 믿는 자 모두에게 성령충만이 필요합니다.

We need it for our own benefit in order to be the best possible Christian. Without it we cannot attain the Lord's will for us.

우리는 가능한 한 최고의 그리스도인이 되고 우리 자신의 유익을 위하여 성령충만이 필요합니다. 그렇지 않다면, 우리는 우리를 위한 주님의 뜻을 이룰 수 없습니다.

The Spirit cannot illuminate our mind, purge our conscience or energize our will until we surrender to Him and keep surrendered.

성령은 우리가 그에게 순종하고 계속 순종할 때 우리의 마음을 조명하고 양심을 정화하며 우리의 의지에 힘을 주십니다.

The church needs Spirit-filled members. If the filling is lack, the church is plagued with disorder, dissension, strife, backbiting, jealousy and scandal.

교회는 성령충만한 교인들을 필요로 합니다. 성령충만이 결핍된다면 교회는 무질서, 불화, 투쟁, 험담, 질투, 그리고 추문으로 인하여 어려움을 겪게 될 것입니다.

Let every member of the church be Spirit-filled : pastor, elder, deacon, Sunday school teacher, choir member, and laymen.

모든 교인은 성령충만해야 합니다. 목사, 장로, 집사, 주일학교 교사, 성가대원과 평신도 모두가 충만해야 합니다.

We cannot be effective witnesses if we are not Spirit-filled. Spirit-filld believers, living in a crucified life in relation to the world, are an effective means to convict and convince sinners.

우리가 만일 성령충만하지 않다면 효과적인 증인이 될 수 없습니다. 세상에 대해 십자가를 지는 생활을 하는 성령충만한 성도는 죄인을 회개하게 하고 깨닫게 하는 데 효과적인 도구가 됩니다.

We are not a reservoir but a channel. We must overflow. Blessings must be poured out. After conversion, filling and overflowing shoud be followed.

우리는 저수지가 아니라 통로입니다. 우리는 넘쳐 흘러야 합니다. 복을 쏟아야만 합니다. 회개가 일어난 후에 충만과 넘침이 있어야 합니다.

The Fruit and Gift of the Holy Spirit
• 성령의 열매와 은사

There is an obvious difference between work and fruit of the Holy Spirit. The work of the Spirit is an immediate result of the Spirit's active ministry. The fruit of the Spirit is the outcome of His indwelling and our yielding to Him.

성령의 사역과 열매에는 현저한 차이가 있습니다. 성령의 역사는 성령의 활동적인 사역의 직접적인 결과입니다. 성령의 열매는 그와 함께 살며 순종한 결과입니다.

The fruit of the Spirit is love, joy, peace, patience, kindness, goodness, faithfulness, gentleness and self—control.

성령의 열매는 사랑과 희락과 화평과 오래 참음과 자비와 양선과 충성과 온유와 절제입니다.

The gift of the Spirit is the message of wisdom, the message of knowledge, faith, gift of healing, miraculous power, prophecy, distinguishment between spirits, speaking in different kinds of tongues, and an interpretation of tongues.

성령의 은사는 지혜의 말씀과 지식의 말씀, 믿음, 병 고치는 은사, 능력 행함, 예언, 영 분별력, 각종 방언 말함과 방언 통역입니다.

Salvation
구원

Conversion and regeneration are inseparable ; conversion is an act of turning from sin to Christ ; regeneration is being made a new creature by the Spirit' s power.

회심과 중생은 분리할 수 없습니다. 회심은 죄에서 그리스도에게로 돌아서는 행위이며 중생은 성령의 능력으로 새로운 피조물이 되는 것입니다.

The only way to become a Christian is by being born again ; born by a power of the Holy Spirit.

그리스도인이 되는 유일한 길은 거듭나는 것입니다. 성령의 능력으로 거듭나는 것입니다.

Who needs to be born again? The Bible plainly teaches that all need to be born again. "I tell you the truth, no one can see the kingdom of God unless he is born again" (John 3:3). "You must be born again" (John 3:7).

누가 거듭나야 할 필요가 있습니까? 성경은 명백히 모든 사람들이 거듭나는 것이 필요하다고 가르칩니다. "사람이 거듭나지 아니하면 하나님 나라를 볼 수 없느니라" (요한복음 3:3). "거듭나야 하겠다" (요한복음 3:7).

75

There is no exceptions to this rule ; neither sex, age, position nor condition exempts anyone from the necessity of a new birth.

이 법칙에는 예외가 없습니다. 성, 나이, 지위, 어떤 조건도 신생의 필요성에서 예외일 수 없습니다.

There is no substitute for a new birth. To become a new creature is to be born again.

신생에는 대체할 것이 없습니다. 새로운 피조물이 되기 위해 거듭나야 합니다.

To be born again we must believe Jesus as our Lord. To be born again we must read the Bible or hear the message of God. And the Holy Spirit saves those who believe in Jesus.

거듭나기 위하여 예수를 주님으로 믿어야 합니다. 거듭나기 위해 성경을 읽고 하나님의 말씀을 들어야 합니다. 성령은 예수 믿는 자를 구원하십니다.

Way of Salvation · 구원의 방법

The ministry of the Holy Spirit is first to convict a sinner and then to convert him.

성령의 사역은 첫째로 죄인으로 하여금 죄를 깨닫게 하고 회개시키는 것입니다.

Faith is needed for salvation(Acts 16:31). We are saved by faith(Romans 4:3). We receive Christ by faith.(John 1:12) We are justified by faith(Galatians 3:26). We are sanctified by faith(Acts 26:18).

믿음은 구원에 필요합니다(사도행전 16:31). 믿음으로 구원을 얻습니다(로마서 4:3). 믿음으로 그리스도를 영접합니다(요한복음 1:12). 믿음으로 의롭다 함을 얻습니다(갈라디아서 3:26). 믿음으로 성결하게 됩니다(사도행전 26:18).

All men should repent because all are guilty in God's sight. Repentance comes before believing.(Mark 1:15) Repentance comes before forgiveness(Luke 24:47). Repentance comes before conversion.(Acts 3:19) God commands repentance(Acts 17:30).

모든 사람은 회개해야 합니다. 모든 사람이 하나님의 시각에서는 죄인이기 때문입니다. 회개는 믿기 전에 옵니다(마가복음 1:15). 회개는 용서받기 전에 옵니다(누가복음 24:47). 회개는 회심 전에 옵니다(사도행전 3:19). 하나님은 회개를 명령하십니다(사도행전 17:30).

"Whoever acknowledges me before men, I will also acknowledge him before my Father in heaven. But whoever disowns me before men, I will disown him before my Father in heaven." (Matthew 10:32−33)

"누구든지 사람 앞에서 나를 시인하면 나도 하늘에 계신 내 아버지 앞에서 저를 시인할 것이요 누구든지 사람 앞에서 나를 부인하면 나도 하늘에 계신 내 아버지 앞에서 저를 부인하리라"(마태복음 10:32−33).

"That if you confess with your mouth, 'Jesus is Lord', and believe in your heart that God raised him from the dead, you will be saved"(Romans 10:9).

"네가 만일 네 입으로 예수를 주로 시인하며 또 하나님께서 그를 죽은 자 가운데서 살리신 것을 네 마음에 믿으면 구원을 얻으리니"(로마서 10:9).

We must confess Christ audibly because Christ commanded it(Matthew 10:32−33).

우리는 큰소리로 그리스도를 고백해야 합니다. 이는 그리스도께서 명령하셨기 때문입니다(마태복음 10:32−33).

Assurance of Salvation · 구원의 확신

Assurance of salvation is needed if a believer is to help others spiritually. If we are 'in Christ', we ought to have a full assurance of salvation.

만일 성도가 다른 사람을 영적으로 도우려 한다면 구원의 확신이 필요합니다. 그리스도 안에 있다면 구원의 확신을 가져야 합니다.

To have an assurance of salvation is to guarantee absolutely that we are saved and that if we died suddenly, we would go immediately to heaven. Assurance of salvation is to possess salvation. Salvation is equal to an eternal life. If I possess eternal life, I am saved — saved now and forever.

구원의 확신을 갖는다는 것은 이미 구원받았고 갑자기 죽더라도 하늘 나라로 즉시 갈 수 있다고 절대적으로 확신하는 것입니다. 구원의 확신은 구원을 소유하는 것입니다. 구원은 영생입니다. 만일 내가 영생을 소유한다면 나는 현재 그리고 영원히 구원받은 것입니다.

Those who have received Jesus Christ as their personal Saviour, may have an assurance of salvation. "Yet to all who received him, to those who believed in his name, he gave the right to become children of God(John 1:12).

예수 그리스도를 개인의 구주로 영접한 사람은 구원의 확신을 갖게 됩니다. "영접하는 자 곧 그 이름을 믿는 자들에게는 하나님의 자녀가 되는 권세를 주셨으니"(요한복음 1:12).

Those who believe in Jesus Christ can have an assurance of salvation. "For God so loved the world that he gave his one and only Son, that whoever believes in him shall not perish but have eternal life." (John 3:16)

예수 그리스도를 믿는 자들은 구원의 확신을 가질 수 있습니다. "하나님이 세상을 이처럼 사랑하사 독생자를 주셨으니 이는 저를 믿는 자마다 멸망치 않고 영생을 얻게 하려 하심이니라"(요한복음 3:16).

Can assurance be based on feeling? No. Satan might control or influence our feeling. Health, weather, circumstances and environment affect feeling.

구원의 확신은 느낌에 기초를 둘 수 있습니까? 아닙니다. 사탄은 우리의 느낌을 통제하거나 영향을 줍니다. 건강, 일기, 상황과 환경은 느낌에 영향을 끼칩니다.

God has given us three things upon which assurance is based :

하나님은 구원의 확신에 기초가 되는 세 가지를 주셨습니다.

(1) The witness of the Holy Spirit assures :
"The Spirit himself testifies with our spirit that we are God's children(Romans 8:16).

성령이 친히 증거하십니다.
"성령이 친히 우리 영으로 더불어 우리가 하나님의 자녀인 것을 증거하시나니"(로마서 8:16).

(2) The word of God witnesses : "I write these things to you who believe in the name of the Son of God so that you may know that you have eternal life(1John 5:13).
If the devil comes and tempts you to doubt your salvation, put your finger on this verse and rebuke the devil in the name of the Lord, which makes the devil flee from you.

하나님의 말씀이 증거합니다. "내가 하나님의 아들의 이름을 믿는 너희에게 이것을 쓴 것은 너희로 하여금 너희에게 영생이 있음을 알게 하려 함이라"(요일 5:13).
만일 사탄이 와서 구원을 의심하도록 시험한다면 이 구절에 손을 대고 예수의 이름으로 사탄을 꾸짖으십시오. 그러면 사탄은 도망갈 것입니다.

(3) The changed life itself confirms : "We know that we have passed from death to life, because we love our brothers"(1John 3:14).

Christian is a new creature in Christ(2Corin 5:17). The power and presence of evil habits are gone, confirming that I am truly saved.

변화된 삶 자체가 증명합니다. "우리가 형제를 사랑함으로 멸망에서 옮겨 생명으로 들어간 줄을 알거니와"(요일 3:14).
그리스도인은 그리스도 안에서 새로운 피조물입니다(고린도후서 5:17). 악한 습관의 힘과 존재는 사라지고 정말로 구원받았음을 확신할 수 있습니다.

Since the word of God and the Holy Spirit are so clear that it is possible to have an assurance. Why does just a few have assurance?

하나님의 말씀과 성령은 매우 확실하기 때문에 구원의 확신을 가질 수 있습니다. 그런데 왜 소수의 사람만이 확신을 갖고 있을까요?

The reason is that other people have listened to the devil' s accusations.
(1) Have I received Jesus Christ as my personal Saviour?
(2) Do I truly believe in the Lord Jesus Christ?

그 이유는 사탄의 비난을 경청하기 때문입니다.
(1) 예수 그리스도를 나의 구주로 영접했는가?
(2) 주 예수 그리스도를 진정으로 믿는가?

If I can answer a definite "yes" to both questions, I am saved on the basis of the Word of God. To doubt the

Word of God is a terrible sin. It is not a presumption to believe the Word of God. It is a faith in Christ that saves men and pleases God.

만일 두 질문에 "예"라고 대답할 수 있다면 하나님의 말씀에 근거하여 구원받은 것입니다. 하나님의 말씀을 의심하는 것은 무서운 죄입니다. 하나님의 말씀을 믿는 것은 추정이 아닙니다. 그것은 사람을 구원하고 하나님을 기쁘게 하는 그리스도를 믿는 믿음입니다.

Mission
선교

Why is the world under a mess? Doesn't God love the world? Won't he do a good thing? Doesn't he have all power? In short, why is there a need for the world mission?

세상은 왜 혼란 속에 있습니까? 하나님은 세상을 사랑하지 않습니까? 선한 일을 할 의지가 없습니까? 모든 능력을 갖고 있지 않습니까? 간단히 말해서 왜 세계 선교가 필요합니까?

God is powerful, purposeful and loving. God loves man. As a crown of God's creation, man was placed in a perfect environment that provided everything he needed(Genesis 2:8—14).

하나님은 능력이 있고 목적을 가지고 계시며 인간을 사랑하십니다. 하나님은 인간을 사랑하십니다. 하나님의 창조의 면류관으로서 인간은 필요한 모든 것이 준비된 완전한 환경에 배치되었습니다(창세기 2:8—14).

He entrusted man with his creatures and gave him a dominion over it. God's provision, fellowship and trust prove God's love. The reason why the world is in trouble is not due to a lack of God's love.

하나님은 인간에게 피조물을 맡기시고 지배권을 주셨습니다. 하나님의 섭리, 친교와 신뢰는 하나님의 사랑을 증명합니다. 세상

87

이 혼돈 가운데 있는 것은 하나님의 사랑이 부족해서가 아닙니
다.

The Nature of Man · 인간의 본질

God made man responsible by giving him a dominion over all living beings in the earth. An original man might had a great intellectual power to know and name all animals(Genesis 2:19−20).

하나님은 사람에게 모든 피조물을 다스릴 권한을 주시고 책임지게 하셨습니다. 최초의 인간은 모든 동물을 알고 이름 지을 수 있는 위대한 지적인 능력을 갖고 있었음에 틀림없습니다.

But, man rebelled against his dependence on God and enthroned himself. He desired to "be as gods, knowing good and evil" (Genesis 3:5). Man's nature was corrupted.

그러나, 인간은 하나님을 배반하고 스스로 왕이 되었습니다. 인간은 선악을 아는 신처럼 되고 싶었습니다(창세기 3:5). 인간의 본질은 타락했습니다.

89

Man lost his self-identity in the Fall because he was no longer properly related to God. His lack of wholeness caused him to relate improperly with his fellowman.

인간은 타락으로 말미암아 정체성을 잃었습니다. 이는 인간이 더 이상 하나님과 적절한 관계를 맺지 못했기 때문입니다. 인간의 부족함은 동료들과 부적절한 관계를 맺게 했습니다.

He sought identity and security by comparing himself with others who is inferior as he considered or by being hostile to those who is superior as he perceived.

인간은 자신가 열등하다고 생각하는 사람과 자신을 비교하거나, 우월하다고 생각하는 사람에게 적의를 품으며 자신의 정체성과 안정을 찾았습니다.

He created a society that sustained itself by making a distinction in race, class, intellect, religion and so forth.

인간은 인종, 계급, 지성, 종교 등의 차별로 유지되는 사회를 만들었습니다.

Therefore, man is alienated from God, dislocated from his original position in a created order and estranged from his fellowman.

그래서, 인간은 하나님으로부터 멀어지고 창조된 질서 속 본연의 위치에서 벗어났으며 인간 동료로부터도 멀어졌습니다.

The Nature of Evil · 악의 본질

Before Satan entered into the world, there was no sin, sickness, death, war and discord in the earth. Man lived in a perfect environment created by God. But when man yielded to the temptation of the serpent, evil power took place in the world.

사탄이 세상에 들어오기 전에는 죄, 병, 죽음, 전쟁과 불화가 없었습니다. 인간은 하나님이 창조하신 완전한 환경 가운데에서 살았습니다. 그러나, 뱀의 유혹에 넘어가자 세상에 악한 세력이 들어왔습니다.

The earth is still God's. But, Satan and his evil spirits have set up resistance in the earth and have opposed to God and his kingdom.

지구는 여전히 하나님의 것이지만 사탄과 악한 영들이 지구에 살면서 하나님과 그의 나라를 대적합니다.

As a prince of the power of the air(Ephesians 2:2), he heads a vast horde of demons, principalities, powers, rulers of the darkness in this world, and wicked hosts of the spirit world.(Ephesians 6:12)

He claims to have an authority over all the kingdom of this world(Matthew 4:1—11). John says, "We know that we are childen of God, and that the whole world is under the control of the evil one" (1John 5:19).

공중의 권세 잡은 자로서(에베소서 2:2) 사탄은 많은 귀신과 정사와 권세와 어두움의 세상 주관자들과 악의 영들을 주관하고 있습니다(에베소서 6:12).

사탄은 이 세상 나라의 주권을 요구하고 있습니다(마태복음 4:1—11). 요한은 "또 아는 것은 우리는 하나님께 속하고 온 세상은 악한 자 안에 처한 것이며"(요일 5:19)라고 말했습니다.

The nature of evil necessitates God's judgment. Man who becomes a part of the kingdom of evil by his sin must also be punished. God's mission, however, is to redeem man from the evil power and to save him.

악의 본질은 하나님의 심판을 받게 됩니다. 자신의 죄로 인하여 악의 세상에 들어간 사람은 벌을 받아야 합니다. 그러나, 하나님의 선교는 인간을 악한 세력에서 구출하여 구원하는 것입니다.

The Nature of Mission • 선교의 본질

Mission is originated in the heart of God. It is not a kind of something we decide to do for God, but God reveals his purpose to us so that we may have a creative part in his mission.

선교는 하나님의 마음에서 시작되었습니다. 선교는 우리가 하나님을 위해 하려는 어떤 것이 아닙니다. 하나님이 그의 목적을 우리에게 나타내셔서 우리가 그의 선교에 창조적인 부분을 담당하는 것입니다.

Do not make a mistake. We do not initiate the mission, nor will we consummate it. God puts us in three basic purposes of mission.

실수하지 마십시오. 우리가 선교를 시작하지 않았고 완성하지도 못할 것입니다. 하나님은 선교의 세 가지 기본적인 목적을 주셨습니다.

(1) To Glorify God
   하나님께 영광을 돌림

In the letter to the Ephesians, Paul stated three times that God's eternal plan is for his people to praise his glory(Ephesians 1:6, 12, 14). Throughout the chapter, God stands as both an originator and an executor of the redemptive plan.

에베소서에서 바울은 하나님의 영원한 계획이란 그의 백성이 영광을 돌리는 것이라고 세 번 언급하고 있습니다(에베소서 1:6, 12, 14). 1장에서 하나님은 구속 계획의 창시자와 집행자로 나타납니다.

God receives glory when man fully realizes the purpose of his existence, consciously praises God for his grace, and joyfully demonstrates God's grace(Ephesians 3:19).

인간이 존재의 목적을 충분히 이해하고 하나님의 은혜를 의식적으로 찬양하고 하나님의 은혜를 기쁨으로 나타낼 때 하나님은 영광을 받으십니다(에베소서 3:19).

(2) To Share the Good News with the Alienated
   이방인에게 복음을 전함

God's mission includes recreating a man spiritually. God restores man's identity and his purpose for being.

하나님의 선교는 인간을 영적으로 재창조하는 것을 포함합니다. 하나님은 인간의 정체성과 존재를 위한 목적을 회복시킵니다.

At the same time God creates a new society without barriers.(Ephesians 2:13－22) The mystery of God's mission is clear : "This mystery is that through the gospel the Gentiles are heirs together with Israel, members together of one body, and sharers together in the promise in Christ Jesus" (Ephesians 3:6).

동시에 하나님은 장애물 없는 새로운 사회를 만드십니다(에베소서 2:13－22). 하나님의 선교의 신비는 확실합니다. "이는 이방인들이 복음으로 말미암아 그리스도 예수 안에서 함께 후사가 되고 함께 지체가 되고 함께 약속에 참여하는 자가 됨이라" (에베소서 3:6).

(3) To Display the Wisdom of God to Evil Powers
악한 세력에게 하나님의 지혜를 나타내심

Man becomes God's wisdom to Satan and his evil beings : "His intent was that now, through the church, the manifold wisdom of God should be made known to the rulers and authorities in the heavenly realms" (Ephesians 3:10).

인간은 사탄과 악한 영에게 하나님의 지혜가 됩니다. "이는 이제 교회로 말미암아 하늘에서 정사와 권세들에게 하나님의 각종 지혜를 알게 하려 하심이니" (에베소서 3:10).

A redeemed man is the primary exhibit of God's grace. We are obviously in the midst of the sturggle between two kingdoms.

구속받은 사람은 하나님의 은혜를 처음으로 나타낸 사람입니다. 우리는 분명히 두 왕국의 전투 속에 살고 있습니다.

Nevertheless, God seems to be depending on us to demonstrate his goodness, wisdom and power. We do not understand what is for God.

그럼에도 불구하고, 하나님은 선하심과 지혜와 능력을 나타내시기 위하여 인간에게 의존하는 것처럼 보입니다. 우리는 무엇이 하나님을 위한 것인지 알지 못합니다.

God intends for man to bring a glory to him, to share the good news with alienated, and to display God's wisdom to evil powers.

하나님은 인간이 영광을 돌리고 이방인에게 복음을 전하고 악한 세력에게 하나님의 지혜를 나타내도록 작정하셨습니다.

God determined to accomplish his mission on his terms. He will lead man to do his work to the end.

하나님은 그의 때에 그의 선교를 성취하기로 결정하셨습니다. 하나님은 인간이 그의 사역을 하도록 세상 끝까지 인도할 것입니다.

Mission of the Holy Spirit • 성령의 선교

Today we face the same basic problem which disciples faced — trying to fight spiritual battles with human resources. A majority of Christians live and serve as if Pentecost has never happened.

오늘날 우리는 예수님의 제자들이 직면했던 문제와 같은 근본적인 문제에 직면하고 있습니다. 즉, 인간의 자원과의 영적인 싸움을 싸우는 것입니다. 대부분의 그리스도인은 오순절이 결코 일어나지 않았던 것처럼 살고 봉사합니다.

They ignore the mission of the Holy Spirit, who came to take Jesus' place, to inspire, to empower, and to guide them. For them the Holy Spirit is almost the 'unknown God', because they think of him as an influence, a power or just other way to express the omnipresence of God.

그들은 성령의 선교를 무시합니다. 성령은 예수를 대신하여 영감을 주고 힘을 주고 인도하기 위해 오셨습니다. 그들에게 성령은 거의 알려지지 않은 하나님이십니다. 왜냐하면 그들은 성령을 하나의 영향력, 능력 혹은 하나님의 무소부재를 표현하는 다른 방법으로 생각하기 때문입니다.

The answer lies in the reality of experiencing the presence and the power of the Holy Spirit as disciples did at Pentecost.

그 해답은 제자들이 오순절에 경험했던 것 같이 성령의 임재와 능력을 실제적으로 경험하는 데 있습니다.

Pentecost fully ushered in the 'last days', the period between the coming of the Holy Spirit and the second coming of Christ. We live in those days. Now is a harvest time.

오순절은 성령의 강림과 예수님 재림의 중간시대인 말세를 온전히 예고합니다. 우리는 이 시기에 살고 있습니다. 지금은 추수기입니다.

The Mission of Christ could not be accomplished without the mission of the Holy Spirit. The Holy Spirit came to make God's people into the body of Christ. Christ had come to be with man ; the Holy Spirit came to be in him.

그리스도의 선교는 성령의 선교가 없이는 성취될 수 없습니다. 성령은 하나님의 백성을 그리스도의 몸으로 만들기 위해 오셨습니다. 그리스도는 사람과 함께 하시기 위해 오셨고 성령은 사람 안에 살기 위해 오셨습니다.

After Pentecost, the Holy Spirit came to live within each Christian forever and to minister through him in all events of life.

오순절 후에 성령은 그리스도인 각 개인 안에 영원히 살고 인생의 모든 일을 그를 통해 하도록 하기 위해 오셨습니다.

The Holy Spirit performs various ministries within the body of Christ ; he regenerates, sanctifies, teaches, guides, comforts, illuminates, and intercedes. But, the most important ministry in relation to his mission is to fill Christians with the Spirit for service.

성령은 그리스도의 몸 안에서 여러 가지 사역을 합니다. 성령은 중생시키고 성결케 하고 가르치고 인도하고 위로하고 조명하고 중재합니다. 그러나, 그의 선교에 관련하여 제일 중요한 사역은 봉사하기 위하여 그리스도인을 성령으로 채우는 것입니다.

When Christians were filled with the Holy Spirit at Pentecost, they spontaneously shared the wonderful works of God with the people of many nations(Acts 2:4—11).

그리스도인이 오순절에 성령으로 충만했을 때 많은 나라의 백성들과 함께 스스로 하나님의 놀라운 역사를 나눴습니다(사도행전 2:4—11).

Mission of God's People • 하나님 백성의 선교

God could have controlled all man's actions. But he chose to make him free to do good or evil. Man abused his freedom and disobeyed God. Relationship and fellowship with God were broken, and Adam's descendants walked away from God.

하나님은 인간의 행동을 통제할 수 있었지만 선과 악을 선택하는 자유를 주셨습니다. 인간은 자유를 남용했고 하나님께 불순종했습니다. 하나님과의 관계와 교제는 깨어졌고 아담의 후손은 하나님을 떠나가 버렸습니다.

God's new plan was to select a faithful Christian as his friend and partner. God elected Abraham and his descendants as the key to establish his kingdom throughout the earth.

하나님의 새 계획은 충성스러운 그리스도인을 친구와 파트너로 선택하는 것입니다. 하나님은 아브라함과 그 자손들을 세계 도처에서 그의 나라를 세우는 중요한 역할로 선택했습니다.

God called Abraham and commanded him to leave his

father' s house, his relatives and his country.

하나님은 아브라함을 부르시고 아비 집과 친척, 그리고 고국을 떠나라고 명령하셨습니다.

Abraham exercised by faith because he believed the promise of God.

아브라함은 하나님의 약속을 믿었기 때문에 믿음으로 행했습니다.

Genesis 12:1−3 is pivotal to an understanding of God' s plan. He chose Abraham in order to bless all the families in the earth. When God chose Abraham, he was on his way to the world. Every person in God' s election is a link to the rest of the world.

창세기 12장 1절부터 3절까지는 하나님의 계획을 이해하는 데 필요한 핵심적인 말씀입니다. 그는 지구의 모든 가족을 축복하기 위해 아브라함을 선택했습니다. 하나님이 아브라함을 택하셨을 때 하나님은 세상을 위한 그의 계획에 착수하신 것입니다. 하나님의 선택의 사슬에 매여 있는 사람은 다른 세상 사람에 대한 연결고리입니다.

Mission is God' s choice. Missionaries must go at the command of the sovereign Lord. No one becomes a volunteer before God elects him. This does not limit the number of missionaries. In fact, it opens the way for God' s people to be on mission.

선교는 하나님의 선택입니다. 선교사는 주권적인 주님의 명령에 따라야 합니다. 하나님이 선택하기 전에 누구도 지원자가 될 수는 없습니다. 그렇다고 선교사의 수를 제한하는 말은 아닙니다. 사실상 하나님의 모든 백성에게 선교를 위한 길은 열려 있습니다.

God accomplishes his purpose in spite of man's sinfulness. At times man willingly follows God's commands. At other times he willfully refuses to do God's will.

하나님은 인간의 죄에도 불구하고 그의 목적을 이루십니다. 때때로 인간은 하나님의 명령을 기꺼이 따릅니다. 어떤 때는 하나님의 뜻을 고의적으로 거절합니다.

You as a Christian are elected in Christ and inherited the promise(Galatians 3:13−16). God has called you and selected you to be one of his children. He expects you to obey his commands and to serve him through serivng the world.

당신은 그리스도인으로서 그리스도 안에서 선택되어 약속을 상속받았습니다(갈라디아서 3:13−16). 하나님은 당신을 자녀로 만들기 위해 부르고 택하셨습니다. 그는 당신이 명령을 순종하고 세상에 봉사함으로 그에게 봉사하기를 기대하십니다.

Evangelism
for Other Religions
타종교지역 전도

Islam • 이슬람교

"There is no God but Allah, and Muhammad is His messenger." This is the most frequent prayer of Muslim. Five times a day Muslim believers prostrate themselves in prayer toward Mecca.

"알라 외에는 다른 신이 없다. 모하메드는 신의 사자(使者)이다." 이것은 이슬람 신자의 기도입니다. 이슬람 신자들은 하루에 다섯 번씩 메카를 향해 무릎을 꿇고 기도합니다.

"God has no wife ; God has no sex ; God has no son", Moslem said vehemently. "But, Mary was not God's wife", Christian explained. "The Holy Spirit caused a virgin to conceive miraculously. Actually God became a man."

"하나님은 부인도 성(性)도 아들도 없습니다"라고 이슬람 신자는 힘차게 말했습니다. "그러나 마리아는 하나님의 아내가 아니다" 라고 그리스도인은 설명했습니다. "성령께서 기적으로 처녀로 하여금 잉태하게 했습니다. 참으로 하나님은 사람이 되셨습니다."

Muslim replied : "God is all powerful and supreme one.

He cannot be three Gods as you Christians teach. He is one. He is all powerful. He could not become a man." For Muslims it is unthinkable that God became a man.

이슬람 신자는 대답했습니다. "하나님은 전능한 최고의 신입니다. 하나님은 당신이 가르치는 그러한 세 하나님이 아닙니다. 그는 한분이며 전능하십니다. 그는 사람이 될 수 없습니다." 이슬람 신자는 하나님이 인간이 되었다는 사실을 생각할 수 없습니다.

To Muslim it is absurd to think that the transcendant and all powerful God could become a man.

이슬람 신자는 초월적이고 전능한 하나님이 인간이 될 수 있다는 생각조차도 어리석게 여깁니다.

Often people claim that the Muslim believe in the same God as Christians : "They just don' t accept Jesus Christ." But, Muslim God is not like Christian God. Islam refuses the biblical doctrine of the Trinity and the Deity of Christ.

사람들은 종종 주장하기를, 이슬람 신자는 기독교의 하나님과 같은 신을 믿는다고 합니다. "그들은 단지 예수 그리스도를 영접하지 않았습니다." 그러나, 이슬람교의 신은 기독교의 하나님과 같지 않습니다. 이슬람교는 삼위일체의 성경적 교리와 그리스도의 신성을 부인합니다.

For the Muslim, Allah is the only true God. There is no Trinity. Jesus Christ is one of 124,000 prophets of Allah.

He is not the Son of God or God Himself.

이슬람 신자에게는 알라가 유일한 참 신입니다. 삼위일체는 없습 니다. 예수 그리스도는 124,000명의 알라 선지자 중 한 사람일 뿐입니다. 예수님은 하나님의 아들도 하나님 자신도 아닙니다.

The Muslim God is a god of judgment, not a grace ; a god of wrath rather than that of love. Muslims have no concept of God as a loving and compassionate Father.

이슬람교의 신은 심판의 신이지 은혜의 신이 아니며, 사랑의 신 이라기보다는 진노의 신입니다. 이슬람교에는 사랑과 긍휼이 있 는 아버지로서의 신개념이 없습니다.

Jesus Christ to the Muslim is just one of many prophets of Allah. According to them Jesus did not atone for sin of anyone and He did not die on the cross, although He was himself sinless.

이슬람 신자에게 예수 그리스도는 수많은 알라의 선지자 중 한사 람입니다. 그들에 의하면 예수님은 비록 죄가 없으셨으나 어떤 사람의 죄를 구속하지도 십자가에서 죽지도 않았다고 합니다.

Sin and salvation in Isalm is associated with two concepts : work and fate(Kismet).

이슬람교에서 죄와 구원은 두 개념 즉, 행위와 운명과 관련되어 있습니다.

Every Muslim who hopes to escape the judgment of Allah must fulfill works of the Five Pillars of the Faith.

알라의 심판을 피하기 원하는 모든 이슬람 신자는 신앙의 다섯 가지 기둥을 실천해야 합니다.

These include : (1) Recitation the Shahadah("There is no god but Allah and Muhammed is the prophet of Allah"); (2) Saying the five stated prayers(Salat or Namaz) in Arabic ; (3) Almsgiving, which is unlike tithing since Muslims are only required to give one fortieth of their income as charitable contribution ; (4) Fasting(Saum or Ruzeh) during the entire month of Ramadan, when Muslims are supposed to fast from all food and drink from sunrise to sunset in atonement for their own sins over the previous year ; (5) A pilgrimage(Hajji) to Mecca, the holy city at least once in a Muslim' s life time.

즉, (1) 사하다의 암송("알라 외에 다른 신은 없다. 모하메드는 알라의 선지자다"). (2) 다섯 가지의 정해진 기도 (3) 모슬렘은 수입의 40분의 1을 구제헌금으로 드릴 의무가 있기 때문에 십일조와 다르다. (4) 라마다가 있는 달에 금식. 그때 이슬람은 지난 해에 지은 죄를 속죄하려고 해뜰 때부터 해질 때까지 음식과 음료수를 금하고 있다. (5) 평생에 적어도 한번은 가는 메카 성지 순례 등이다.

Holy War(Jihad) used to be a conditon of faith, and early Muslims believed it was their sacred duty to murder anyone who would not embrace the one true faith.

거룩한 전쟁(지하드)은 신앙의 조건이 되었습니다. 초기 이슬람 인들은 유일한 신앙을 받아들이지 않는 자를 죽이는 것을 거룩한 의무로 믿었습니다.

Three key topics of discussion between a Christian and a Muslim include the nature of God, the identity and Deity of Jesus Christ, and salvation by grace alone apart from works.

그리스도인과 이슬람 신자 사이에서 논의되는 세 가지 중요한 주 제는 하나님의 본질, 예수 그리스도의 정체성과 신성, 그리고 행 함이 아닌 오직 은혜로 말미암는 구원에 관한 것입니다.

Christians can share with Muslims that Christan God cares about people individually and loves individuals. He cares about people one by one and He loves individuals.

기독교의 하나님은 사람을 개인적으로 돌보고 개인을 사랑한다는 사실을 그리스도인은 이슬람 신자들과 나눌 수 있습니다.

Divine love is a concept missing from Islam and yet essential to human peace and happiness with others.

신의 사랑이란 이슬람에서 빠진 개념인데 이 사랑은 다른 사람과 함께 나누는 인간의 평화와 행복에 필수적입니다.

A powerful witness of scripture to God's love is John 3:16, "For God so loved the world that he gave his one and only Son, that whoever believes in him shall not perish but have eternal life."

하나님의 사랑에 관한 성경의 강력한 증거는 요한복음 3장 16절입니다. "하나님이 세상을 이처럼 사랑하사 독생자를 주셨으니 이는 저를 믿는 자마다 멸망치 않고 영생을 얻게 하려 하심이니라."

Next, tell the good news to Muslims that salvation and peace with God does not depend on his insufficient efforts, but on the grace of God which is displayed through the atonement of Jesus Christ on the cross.

다음으로 구원과 하나님의 평화는 인간의 불충분한 노력에 있지 않고 십자가 위에서 예수 그리스도의 속죄함을 통해 나타난 하나님의 은혜에 있다는 복음을 이슬람 신자에게 말하십시오.

The Muslim will agree that Allah could keep all men from a paradise since no man is perfect as Allah is perfect.

알라는 완전하지만 어느 인간도 완전하지 못하므로 알라는 모든 사람이 낙원에 들어가게 할 수 없다는 것을 이슬람 신자도 동의할 것입니다.

110

However, biblical salvation does not depend on man's imperfection. Biblical salvation depends on the work and love of God(Ephesians 2:8-10).

그러나, 성경적 구원은 인간의 불완전함에 있지 않습니다. 성경

적 구원은 하나님의 사역과 사랑에 의존합니다(에베소서 2:8-
10).

Finally, Christians should love Muslims. Muslims have a
definite zeal for God. They desire to follow God and
express their worship of God through their lives.

마지막으로 그리스도인은 이슬람 신자들을 사랑해야 합니다. 이
슬람 신자들은 신에 대한 분명한 열망이 있습니다. 그들은 신을
따르기를 원하며 삶을 통해 신에 대한 그들의 경배를 표시하기
원합니다.

Christians should respect Muslims' sincere intentions
and share with them the life-changing gospel of Jesus
Christ with the help of the Holy Spirit.

그리스도인은 이슬람 신자들의 진실한 의도를 존중해야 하며 생
활을 변화시키는 예수 그리스도의 복음을 성령의 도우심으로 전
해야 합니다.

Hinduism • 힌두교

Hinduism, today, is not the same as Hinduism five thousand years ago. The Hindu religion has evolved over the past five thousand years of Indian religious history. Hinduism seeks to be a synthesis of the various religious ideas and influences throughout the Indian subcontinent, representing hundreds of separate cultural, social, and tribal groups.

오늘날의 힌두교는 오천 년 전의 힌두교와 같지 않습니다. 힌두교는 인도의 종교 역사가 지난 오천 년 동안 진화된 것입니다. 힌두교는 여러 가지 종교적인 개념의 통합을 모색하며 수백 가지의 각기 다른 문화, 사회, 부족 그룹을 나타내는 인도 준대륙에 영향을 줍니다.

The Hindu scriptures were collected over hundreds of years, beginning with the writing of oral tradition. These scriptures are known as the Vedas(wisdom or knowledge). The concluding portion of the Vedas is called the Upanishads, which is a synthesis of Vedic teachings.

힌두경전은 구전을 쓰기 시작하면서 수백 년간에 걸쳐 수집된 것

입니다. 이러한 경전을 베다(지혜 또는 지식)라고 합니다. 베다
의 마지막 부분은 우파니샤드라고 불리는데 베다의 교훈을 종합
한 것입니다.

The general assumptions of the Upanishads include a
belief in pantheism, karmic retribution and
reincarnation. Perhaps the most well-known section of
the Vedas is the Hindu epic called the Bhagavad-Gita,
which tells the story of a warrior prince, Arjuna, and his
charioteer Krishna, who is actually the disguised
incarnation of the Hindu god Vishnu. The Gita was
written down and subsequently modified between
B.C. 200 and A.D. 200.

우파니샤드의 일반적인 가정에는 범신론, 업보적 응보, 그리고
환생에 관한 신앙이 포함되어 있습니다. 아마도 베다 중 가장 잘
알려진 부분은 바가바드 기타라고 불리는 힌두 서사시일 것입니
다. 바가바드 기타는 전사(戰士) 왕자 알주나와 전차를 모는 크
리쉬나의 이야기를 전해 줍니다. 크리쉬나는 사실상 힌두신 비쉬
누의 화육이 변장된 것입니다. 기타는 BC 200년과 AD 200년
사이에 쓰여졌고 계속하여 수정됐습니다.

God : There is no single Hindu idea of God. Hindu
concepts of deity can include any of the following :
monism(all existence is one substance) ; pantheism(all
existence is divine) ; panentheism(God is in creation as a
soul is in a body) ; animism(God or gods live in
nonhuman objects such as trees, rocks, animals, etc) ;

polytheism(there are many gods) ; henotheism(there is one god we worshoip among many gods that exist) ; and monotheism(there is only one God).

신 : 힌두신에 관하여 단 하나로 된 개념은 없습니다. 신에 관한 힌두의 관념에는 다음과 같은 것이 포함됩니다. 일원론(모든 존재는 한 실체이다), 범신론(모든 존재는 신이다), 만유재신론(몸 안에 영혼이 있는 것과 같이 창조물 안에 신이 있다), 정령주의 (나무, 바위, 동물 등과 같은 인간 이외의 물체 안에 신이 살고 있다), 다신론(많은 신이 있다), 단일신(많은 신 중에서 특히 섬기는 신은 하나이다), 유일신론(오직 한 신만 있다).

Karma and Samsara : Fundamental to Hindu thought is the idea that all souls are eternal and accountable for their own actions throughout time. Karma refers to the debt of one's bad actions which must be atoned for in order to escape the wheel of Samsara (reincarnation) or transmigration.

카르마와 삼사라 : 모든 영혼은 영원하며 평생 자신들의 행동에 책임이 있다는 사상은 힌두사상의 근본적인 것이다. 카르마는 삼사라(환생)의 수레 혹은 윤회를 피하기 위하여 속죄되어야 할 나쁜 행동에 대한 대가를 언급합니다.

Salvation : Three major paths to Hindu 'salvation' include Karma marga(method), the way of disinterested action ; bhakti marga, the way of devotion ; and jnana marga, the path of knowledge or mystical insight. Jnana marga achieves self-realization through intuitive awareness and mystical insight. Bhakti marga achieves self-realization through ritual sacrifice and discipline.

구원 : 힌두교의 구원에 이르는 세 가지 중요한 길은 카르마 마가(방법), 즉 사심 없는 행동의 방법, 박티 마가(헌신의 방법), 그리고 즈나나 마가(지식의 길 혹은 신비적 통찰력)를 포함합니다. 즈나나 마가는 직관적인 깨달음과 신비적인 통찰력을 통해 자기이해를 성취합니다. 박티 마가는 의식적인 희생과 훈련을 통해 자기이해를 성취합니다.

Hinduism denies the biblical Trinity, the Deity in Christ, the doctrine of atonement, sin, and salvation by grace through the sacrifice of Jesus Christ. It replaces resurrection with reincarnation, and both grace and faith with human work. One cannot, then, achieve peace with God through Hinduism.

힌두교는 성경적인 삼위일체, 그리스도의 신성, 속죄의 교리, 죄와 예수 그리스도의 희생을 통한 은혜로 말미암는 구원을 부인합니다. 힌두교는 부활을 환생으로 은혜와 믿음을 인간의 행위로 바꿉니다. 그래서 힌두교를 통해서는 인간이 하나님과의 평화를 성취할 수 없습니다.

Peace with God is not achieved by looking inside oneself but by looking up to Him of whom Moses and prophets did write — Jesus of Nazareth, the Son of God.

하나님과의 평화는 자기 내면을 성찰함으로 이루어지는 것이 아

니라 모세와 선지자들이 기록한 나사렛 예수, 곧 하나님의 아들
을 바라봄으로 이루어집니다.

Buddhism • 불교

Gautama Buddha, who found the Buddhist religion, was the son of Suddhodana, a chief reigning over a district near the Himalayas that is known today as a country of Nepal.

불교를 창시한 가타마 부타는 오늘날 네팔로 알려진 히말리야 근방의 한 지역을 다스리는 족장 수도다나의 아들이었습니다.

At an early age, Siddhartha Gautama, his true name, observed many contradictions and problems of life ; he abandoned his wife and son when he felt he could no longer endure a life of rich nobleman, and became a wandering ascetic in search of the truth about life.

어릴 때 싯다르타 가타마(본명)는 인생의 많은 모순과 문제를 관찰했습니다. 그는 풍족한 귀족 생활을 더 이상 할 수 없음을 깨달았을 때, 아내와 아들을 버리고 인생에 대한 진리를 찾으러 방랑하는 고행자가 되었습니다.

117

Buddhist historians tell us that after almost seven years of wandering, inquiring, meditating and searching, he found 'the true path', and 'great enlightenment' under the legendary bo tree(tree of wisdom), and thus attained Nirvana, that is the most desirable state. Buddhist's thought maintains a cycle of reincarnation is necessary to attain Nirvana.

불교 역사가들은 7년간의 방황, 문의, 묵상과 탐구를 한 후 그가 전설적인 보리수 아래에서 '참 도'와 '큰 깨달음'을 얻고 가장 바람직한 상태인 열반에 도달했다고 말합니다. 불교 사상은 열반에 들어가기 위하여 환생의 순환이 필요하다고 주장합니다.

In its shortest form Buddha's teaching may be summarized as follows : Birth is sorrow, age is sorrow, sickness is sorrow, death is sorrow, clinging to earthly things is sorrow. Birth and rebirth, the chain of reincarnation, result from thirst of life together with passion and desire. The only escape from this thirst is to follow the eightfold path : right belief, right resolve, right word, right act, right life, right effort, right thinking, right meditation.

불교의 교훈을 가장 짧게 다음과 같이 요약할 수 있습니다. 생은 슬프다. 늙음도 슬프다. 병도 슬프다. 죽음도 슬프다. 세상 애착도 슬프다. 생과 재생 즉, 환생의 고리는 열정, 욕망과 함께 인생의 갈망에서 기인되었다. 이 갈망에서 도피하는 유일한 방법은 여덟 가지 길(8정도)을 따르는 것이다. 정견(바르게 봄), 정정(바른 정신), 정어(바르게 말함), 정업(바른 행위), 정명(바른 직업), 정정진(바른 노력), 정사유(바르게 생각함), 정념(바른 마음) 등이다.

The goal of Buddhism is Nirvana. A definition of this term is almost impossible, for Buddha himself gave no clear idea. He was indeed asked by his disciples whether Nirvana was postmundane or postcelestial existence, or whether it was annihilation. To all these questions, however, he refused an answer, for it was characteristic of his teachings that they were practically confined to the present life, but concerned themselves little either with problems of merely academic philosophy or with the unknown world. The summun bonum is released from Karma and reincarnation. That consists in absorption into reunion with God in the end. This involves the annihilation of individuality and in this sense Nirvana is nihilism. Nirvana seems to imply the annihilation of soul rather than its absorption to God.

불교의 목표는 열반입니다. 이 용어를 정의 내리기는 거의 불가능합니다. 부처 자신이 확실한 개념을 주지 않았기 때문입니다. 그는 제자들에게 열반이 내세에 존재하는지 혹은 천체 밖에 존재하는지, 열반은 전멸인지 아닌지 하는 질문을 받았습니다. 그러나, 그는 이런 질문에 대한 대답을 거절했습니다. 이는 그의 교훈의 특징이 실제적으로 현세에 국한되어 있지 학문적 철학이나 미지의 세계에 관해서는 거의 관심이 없기 때문입니다. 최고선은 카르마와 환생에서 해방되는 것입니다. 그것은 결국 신과의 재연합이라는 흡수 안에 있습니다. 이것은 인간 개성의 멸절을 내포하며, 이런 의미에서 열반은 허무주의입니다. 열반은 신에게 흡수되는 것이 아니라 영혼의 멸절을 의미합니다.

In Buddhism there is no God. Buddhism is a man-made religion. Hinduism and Buddhism worship an idol. "But their idols are silver and gold, made by the hands of men. They have mouths, but cannot speak, eyes, but they cannot see ; they have ears, but cannot hear, noses, but they cannot smell ; they have hands, but cannot feel, feet, but they cannot walk ; nor can they utter a sound with their throats. Those who make them will be like them, and so will all who trust in them" (Psalm 115:4-8).

불교에는 신이 없으며 불교는 인간이 만든 종교입니다. 힌두교와 불교는 우상숭배입니다. "저희 우상은 은과 금이요 사람의 수공물이라. 입이 있어도 말하지 못하며 눈이 있어도 보지 못하며 귀가 있어도 듣지 못하며 코가 있어도 맡지 못하며 손이 있어도 만지지 못하며 발이 있어도 걷지 못하며 목구멍으로 소리도 못하느니라. 우상을 만드는 자와 그것을 의지하는 자가 다 그와 같으리로다" (시편 115:4-8).

"You shall have no other gods before me. You shall not make for youself an idol in the form of anything in heaven above or on the earth beneath or in waters below. You shall not bow down to them or worship them ; for I, the Lord your God, am a jealous God, punishing the children for the sin of the fathers to the third and fourth generation of those who hate me" (Exodus 20:3-5).

120

"너는 나 외에는 다른 신들을 네게 있게 말지니라. 너를 위하여 새긴 우상을 만들지 말고 또 위로 하늘에 있는 것이나 아래로 땅에 있는 것이나 땅 아래 물 속에 있는 것의 아무 형상이든지 만

들지 말며 그것들에게 절하지 말며 그것들을 섬기지 말라. 나 여
호와 너희 하나님은 질투하는 하나님인즉 나를 미워하는 자의 죄
를 갚되 아비로부터 아들에게로 삼, 사대까지 이르게 하거니와"
(출애굽기 20:3-5).

Judaism · 유대교

The principal objection of the Jew to the Christianity is to accept Jesus Christ as the messiah and the Son of God.

유대인이 기독교를 반대하는 중요한 이유는 예수 그리스도를 메시아와 하나님의 아들로 받아들이는 데 있습니다.

It is true that the fear of persecution also keeps many Jews from becoming Christians.

사실상 박해의 두려움 때문에 많은 유대인이 기독교인이 되지 못합니다.

We must show them from the Old Testament that Jesus is the Christ. One reason why Jews refuse Jesus Christ as a Messiah is His humiliation and suffering. Jews still believe that Messiah will come as a political figure.

우리는 구약성경을 통해 예수는 그리스도이심을 그들에게 보여주어야 합니다. 유대인들이 그리스도를 메시아로 받아들이기를 거절하는 하나의 이유는 그의 굴욕과 수난 때문입니다. 유대인은 아직도 메시아가 정치적인 인물로 올 것을 믿고 있습니다.

It will be well to show from the book of Hebrews that the Old Testament sacrificial economy has been done away in Christ, and that salvation is now to be found only in the shed blood of Christ. The eighth, nineth and tenth chapter of Hebrews in particular emphasize this.

히브리서에도 잘 나타나 있듯이 구약 제사의 경륜이 그리스도 안에서 없어졌으며 구원은 그리스도의 흘린 피 안에서만 발견될 수 있습니다. 히브리서 8장, 9장, 10장에서 이 진리를 특별히 강조하고 있습니다.

If the fear of persecution is keeping Jews from becoming a Christian, use this scripture : "If we endure, we will also reign with him. If we disown him, he will also disown us" (2Timothy 2:12).

만일 유대인이 박해의 두려움 때문에 기독교인이 될 수 없다면 다음의 성경구절을 사용하십시오. "참으면 또한 함께 왕 노릇할 것이요 우리가 주를 부인하면 주도 우리를 부인하실 것이라"(디모데후서 2:12).

"His speech persuaded them. They called the apostles in and had them flogged. Then they ordered them not to speak in the name of Jesus, and let them go. The apostles left the Sanhedrin, rejoicing because they had been counted worthy of suffering disgrace for the Name" (Acts 5:40—41).

"저희가 옳게 여겨 사도들을 불러들여 채찍질하며 예수의 이름으로 말하는 것을 금하고 놓으니 사도들은 그 이름을 위하여 능욕 받는 일에 합당한 자로 여기심을 기뻐하면서 공회 앞을 떠나니라"(사도행전 5:40-41).

God in Judaism and Christianity is one and the same. If so, why don't Jews believe Jesus as Messiah, who was sent from God? They cannot know God fully without knowing and accepting Jesus. In the same way, we cannot know Jusus fully without having the Holy Spirit.

유대교와 기독교의 하나님은 같은 하나님입니다. 그렇다면 유대인은 왜 하나님으로부터 오신 예수님을 메시아로 믿지 않습니까? 예수님을 알고 영접하지 않으면 하나님을 온전히 알 수 없습니다. 마찬가지로 우리도 성령 없이는 예수님을 온전히 알 수 없습니다.

Personal Evangelism
개인전도

Personal evangelism is a Chrstian duty. It is not to start without proper preparation. But it is simple to witness Jesus to those who do not know Jesus.

개인전도는 그리스도인의 의무입니다. 개인전도는 적절한 준비 없이 시작하면 안 됩니다. 그러나, 예수를 모르는 자에게 예수를 증거하는 것은 단순합니다.

First, we need to explain a spiritual condition of man. Romans 3:23 says, "For all have sinned and fall short of the glory of God." Isaiah 53:6 says, "We all, like sheep, have gone astray, each of us has turned to his own way ; and the Lord has laid on him the iniquity of us all."

첫째로, 우리는 인간의 영적 상태를 설명할 필요가 있습니다. 로마서 3장 23절은, "모든 사람이 죄를 범하였으매 하나님의 영광에 이르지 못하더니"라고 말씀합니다. 이사야 53장 6절은, "우리는 다 양 같아서 그릇 행하여 각기 제 길로 갔거늘 여호와께서는 우리 무리의 죄악을 그에게 담당시키셨도다"라고 말씀합니다.

Second, we need to explain who Jesus is and what He accomplished for all mankind. Together we read John 14:6, "Jesus answered, I am the way and the truth and the life. No one comes to the Father except through me."

두번째, 우리는 예수님이 누구이고 인류를 위해 무엇을 성취하셨는지 설명할 필요가 있습니다. 요한복음 14장 6절을 다같이 봅시다. "예수께서 가라사대 내가 곧 길이요 진리요 생명이니 나로 말미암지 않고는 아버지께로 올 자가 없느니라."

Let's read John 3:16, "For God so loved the world that he gave his one and only Son, that whoever believes in him shall not perish but have eternal life."

또한 요한복음 3장 16절에서, "하나님이 세상을 이처럼 사랑하사 독생자를 주셨으니 이는 저를 믿는 자마다 멸망치 않고 영생을 얻게 하려 하심이니라"라고 했습니다.

Then we need to ask them to repent their sins and accept Christ as their Lord. "Repent, then, and turn to God, so that your sins may be wiped out" (Acts 3:19).

우리는 그들을 회개하도록 하고 그리스도를 구주로 영접하도록 해야 합니다. "너희가 회개하고 돌이켜 너희 죄 없이 함을 받으라"(사도행전 3:19).

It is important that each of us sincerely gives ourselves to people so that we can sense and feel their needs. Each individual is different and must approach with an understanding of their individuality.

우리는 스스로를 이웃을 위하여 헌신함으로써 그들의 필요를 감지하고 느껴야 합니다. 각 개인은 서로 다르므로 그 개성을 이해해 접근해야 합니다.

Here are some suggestions :
Prepare a list of friend who need to know Jusus Christ.
Pray for them each day by calling their names.

여기에 몇 가지 제안이 있습니다.
예수를 알아야 할 친구의 명단을 준비하십시오. 그들을 위해 매
일 이름을 부르며 기도하십시오.

Attempt to approach them in ordinary way of life.

일상적인 생활 방법으로 그들에게 접근하십시오.

Share some choice of attractive Christian literature with
your friends.

훌륭한 기독교 서적을 친구와 함께 읽으십시오.

Tell them what Jesus means to you and how they also
can discover His presence in their lives.

그들에게 예수님이 어떤 의미가 있는지, 또 그들의 생활 속에서
그의 임재함을 어떻게 발견할 수 있는지 말하십시오.

Look, the Lamb of God
• 보라, 하나님의 어린 양을

John : Look, the Lamb of God!

요한 : 보라, 하나님의 어린 양이로다!

Jesus : What do you want?

예수 : 무엇을 구하느냐?

John's disciples : Rabbi, where are you staying?

요한의 제자들 : 선생님, 어디에 계시옵니까?

Jesus : Come and you will see.

예수 : 오라, 너희가 볼 것이다.

Come and See · 와 보라

Philip : We have found the one Moses wrote about in the Law, and prophets also worte — Jesus of Nazareth!

빌립 : 우리는 모세가 율법에 기록하였고 여러 선지자가 기록한 그분을 만났어. 바로 나사렛 예수야.

Nathanael : Nazareth! Can anything good come from there?

나다나엘 : 나사렛에서 무슨 선한 것이 날 수 있겠어?

Philip : Come and see.

빌립 : 와 보라.

Jesus : Here is a true Israelite, in whom there is nothing false.

예수 : 이는 참 이스라엘 사람이라. 그 속에 거짓된 것이 없도다.

Nathanael : Rabbi, you are the Son of God ; you are the King of Israel.

나다나엘 : 선생님, 당신은 하나님의 아들이시요 이스라엘의 임
　　　　　금이십니다.

Jesus : You belive because I told you. I saw you under the
　　　　fig tree. You shall see greater things than that. I tell
　　　　you the truth, you shall see heaven open, and the
　　　　angels of God ascending and descending on the
　　　　Son of Man.

예수 : 내가 너를 무화과 나무 아래서 보았다 하므로 믿느냐. 이
　　　　보다 더 큰일을 보리라. 또 가라사대 진실로 진실로 너희
　　　　에게 이르노니 하늘이 열리고 하나님의 사자들이 인자 위
　　　　에 오르락내리락하는 것을 보리라.

You Must be Born Again • 거듭나야 합니다

Nicodemus : Rabbi, we know you are a teacher who has come from God. For no one could perform miraculous signs you are doing if God were not with him.

니고데모 : 선생님, 우리는 당신이 하나님께로부터 온 것을 알고 있습니다. 하나님이 함께 하지 않는다면 누구도 기적을 행할 수 없기 때문입니다.

Jesus : I tell you the truth, no one can see the kingdom of God unless he is born again.

예수 : 진리를 말하노니 사람이 거듭나지 아니하면 하나님 나라를 볼 수 없느니라.

Nicodemus : How can a man be born when he is old? Surely he cannot enter a second time into his mother's womb to be born!

니고데모 : 사람이 늙으면 어떻게 거듭날 수 있겠습니까? 어머니 모태에 두 번 들어갈 수가 있겠습니까?

133

Jesus : I tell you the truth, no one can enter the kingdom of God unless he is born of water and the Spirit. Flesh gives birth to flesh, but the Spirit gives birth to spirit. You should not be surprised at my saying, "You must be born again." The wind blows wherever it pleases. You hear its sound, but you cannot tell where it comes from or where it is going. So it is with everyone born of the Spirit.

예수 : 진실로 진실로 네게 이르노니 사람이 물과 성령으로 나지 아니하면 하나님 나라에 들어갈 수 없느니라. 육으로 난 것은 육이요 성령으로 난 것은 영이니 내가 네게 거듭나야 하겠다 하는 말을 기이히 여기지 말라. 바람이 임의로 불매 네가 그 소리를 들어도 어디서 오며 어디로 가는지 알지 못하나니 성령으로 난 사람은 다 이러하니라.

Nicodemus : How can this be?

니고데모 : 어떻게 이러한 일이 있을 수 있습니까?

Jesus : You are Israel' s teacher, and don' t you understand these things?

예수 : 너는 이스라엘의 선생으로 이러한 일을 알지 못하느냐?

A Samaritan Woman at the Well
• 우물가의 사마리아 여인

Jesus : Will you give me a drink?

예수 : 물을 줄 수 있겠느냐?

Woman : You are a Jew and I am a Samaritan woman. How can you ask me for a drink?

여인 : 당신은 유대인으로서 어찌하여 사마리아 여자인 나에게 물을 달라 하나이까?

Jesus : If you knew the gift of God and who it is that asks you for a drink, you would have asked him and he would have given you a living water.

예수 : 네가 만일 하나님의 선물과 또 네게 물 좀 달라 하는 이가 누구인 줄 알았다면 네가 그에게 구하였을 것이요 그가 생수를 주었으리라.

Woman : Sir, you have nothing to draw with and the well is deep. Where can you get this living water? Are you greater than our father Jacob, who gave us a well and drank from it himself, as did also his sons, flocks and herds?

여인 : 주여, 물 길을 그릇도 없고 이 우물은 깊은데 어디서 생수를 얻겠습니까. 우리 조상 야곱이 이 우물을 우리에게 주었고 또 여기서 자기와 자기 아들들과 짐승이 다 먹었으니 당신이 야곱보다 더 크니이까?

Jesus : Everyone who drinks this water shall be thirsty again, but whoever drinks the water I give him will become in him a spring of water welling up to eternal life.

예수 : 이 물을 먹는 자마다 다시 목마르려니와 내가 주는 물을 먹는 자는 영원히 목마르지 아니하리니 나의 주는 물은 그 속에서 영생하도록 솟아나는 샘물이 되리라.

Woman : Sir, give me this water so that I won't get thirsty and have to keep coming here to draw water.

여인 : 주여, 이런 물을 내게 주사 목마르지도 않고 또 여기에 물 길러 오지도 않게 하옵소서.

Jesus : Go, call your husband and come back.

예수 : 가서 네 남편을 불러오라.

Woman : I have no husband.

여인 : 나는 남편이 없나이다.

Jesus : You are right when you say you have no husband. The fact is, you have had five husbands, and the man you have now is not your husband. What you have just said is quite true.

예수 : 네가 남편이 없다 하는 말이 옳도다. 네가 남편 다섯이 있었으나 지금 있는 자는 네 남편이 아니니 네 말이 참되도다.

Woman : Sir, I can see that you are a prophet. Our fathers worshipped on this mountain, but you Jews claim that the place where we must worship is in Jerusalem.

여인 : 주여, 내가 보니 선지자로소이다. 우리 조상들은 이 산에서 예배하였는데 당신들의 말은 예배할 곳이 예루살렘에 있다 하더이다.

Jesus : Believe me, woman, a time is coming when you will worship the Father neither on this mountain nor in Jerusalem. You Samaritans worship what you do not know ; we worship what we do know, for salvation is from Jews. Yet a time is coming and has now come when the true worshippers will worship the Father in spirit and truth. God is spirit and his worshipppers must worship in spirit and in truth.

예수 : 여자여 내 말을 믿으라. 이 산에서도 말고 예루살렘에서
도 말고 너희가 아버지께 예배할 때가 이르리라. 너희는
알지 못하는 것을 예배하고 우리는 아는 것을 예배하노니
이는 구원이 유대인에게서 남이니라. 아버지께 참으로 예
배하는 자들은 신령과 진정으로 예배할 때가 오나니 곧 이
때라. 아버지께서는 이렇게 자기에게 예배하는 자들을 찾
으시느니라. 하나님은 영이시니 예배하는 자가 신령과 진
정으로 예배할지니라.

Woman : I know that Messiah is coming. When he comes, he will explain everything to us.

여인 : 메시아 곧 그리스도라 하는 이가 오실 줄을 내가 아노니
그가 오시면 모든 것을 우리에게 고하시리라.

Jesus : I who speak to you am he.

예수 : 네게 말하는 내가 그로다.

Empty Tomb • 빈 무덤

Angels : Woman, why are you crying?

천사 : 여자여 어찌하여 우느냐?

Mary : They have taken my Lord away. I don't know where they have put him.

마리아 : 사람들이 내 주를 가져다가 어디 두었는지 내가 알지 못하나이다.

Jesus : Woman, why are you crying? Who is it you are looking for?

예수 : 여자여 어찌하여 울며 누구를 찾느냐?

Mary : Sir, if you have carried him away, tell me where you have put him, and I will get him.

마리아 : 주여, 당신이 옮겨 갔거든 어디 두었는지 내게 이르소서. 내가 찾아가리이다.

Jesus : Mary!

예수 : 마리아야!

Mary : Rabboni!
마리아 : 랍오니여!(선생님의 뜻)

Jesus : Do not hold on me, for I have not yet returned to
the Father. Go straight to my brothers and tell
them, "I am returning to my Father and your
Father, to my God and your God."
예수 : 나를 만지지 말라. 내가 아직 아버지께로 올라가지 못하
였노라. 너는 내 형제들에게 가서 이르되 내가 내 아버지
곧 너희 아버지, 내 하나님 곧 너희 하나님께로 올라간다
하라.

Mary : I have seen the Lord!
마리아 : 내가 주를 보았도다.

My Lord and My God! • 나의 주 나의 하나님

Disciples : We have seen the Lord!

제자들 : 우리가 주를 보았노라!

Thomas : Unless I see the nail marks in his hands and put a finger where the nails were, and put my hand into his side, I will not believe it.

도마 : 내가 그 손의 못자국을 보고, 그 자국을 만지고, 내 손을 그 옆구리에 넣어 보지 않고는 그를 믿지 아니하겠노라.

Jesus : Peace be with you. Put your finger here ; See my hands. Reach out your hand and put it into my side. Stop doubting and believe.

예수 : 너희에게 평강이 있을지어다. 네 손가락을 이리 내밀어 내 손을 보고 네 손을 내밀어 내 옆구리에 넣어 보라. 의심하지 말고 믿으라.

Thomas : My Lord and my God!

도마 : 나의 주시며 나의 하나님이시니이다.

Jesus : Because you have seen me, you have believed. Blessed are those who have not seen and yet have believed.

예수 : 너는 나를 본고로 믿느냐. 보지 못하고 믿는 자들은 복되도다.

It is Lord • 주님이시라

Peter : I'm going out to fish.

베드로 : 물고기 잡으러 간다.

Disciples : We'll go with you.

제자들 : 우리도 함께 가겠다.

Jesus : Friends, haven't you any fish?

예수 : 너희에게 고기가 있느냐?

Disciples : No.

제자들 : 없나이다.

Jesus : Throw your net on the right side of the boat and
you will find some.

예수 : 그물을 배 오른편에 던져라. 그리하면 얻으리라.

John : It is Lord.

요한 : 주님이시라.

Jesus : Bring some of the fish you have just caught. Come and have a breakfast.

예수 : 지금 잡은 생선을 가져와서 조반을 먹으라.

Jesus : Simon son of John, do you truly love me more that these?

예수 : 요한의 아들 시몬아, 네가 이 사람들보다 나를 더 사랑하느냐?

Peter : Yes, Lord. You know that I love you."

베드로 : 주여, 그러하외다. 내가 주를 사랑하는 줄 주께서 아시나이다.

Jesus : Feed my lambs. Simon son of John, do you truly love me?

예수 : 내 양을 먹이라. 요한의 아들 시몬아, 네가 나를 사랑하느냐?

Peter : Yes, Lord, you know that I love you.

베드로 : 주여, 그러하외다. 내가 주를 사랑하는 줄 주께서 아시나이다.

Jesus : Take care of my sheep. Simon son of John, do you
 love me?

예수 : 내 양을 치라. 요한의 아들 시몬아 네가 나를 사랑하느냐?

Peter : Lord, you know all things ; you know that I love
 you.

베드로 : 주여, 모든 것을 아시오매 내가 주를 사랑하는 줄을 하
 시나이다.

Jesus : Feed my sheep. I tell you the truth, when you
 were younger you dressed yourself and went
 where you wanted ; but when you are old you will
 stretch out your hands, and someone else will
 dress you and lead you where you do not want to
 go.

예수 : 내 양을 먹이라. 내가 진실로 진실로 네게 이르노니 젊어
 서는 네가 스스로 옷 입고 원하는 곳으로 다녔거니와 늙어
 서는 네 팔을 벌리리니 남이 네게 입히고 원치 아니하는
 곳으로 데려가리라.

Did He Die for Me?
• 그가 나를 위해 죽으셨습니까?

Some people say that Jesus died only for those who believe in him. Others say he died for the whole world, including those who reject him. Which do you think is correct? Read John 3:16 ; 2Corinthians 5:19 ; and Romans 5:8.

어떤 사람은 예수님이 그를 믿는 자만을 위하여 죽으셨다고 합니다. 반면 어떤 사람은 전 세상을 위하여 죽으셨다고 합니다. 누가 옳을까요? 요한복음 3장 16절, 고린도후서 5장 19절, 로마서 5장 8절을 읽어 보십시오.

If you answered that Jesus died for the world, read 2Corin 5:20.

예수님이 세상을 위하여 죽으셨다고 생각되면 고린도후서 5장 20절을 읽으십시오.

146

A : Jesus didn' t die for me. He died for Christians.

A : 예수는 나를 위해 죽지 않고 그리스도인을 위하여 죽으셨습니다.

B : No, he died for you. He died for every one. But, we do not accept him. Nevertheless, he died for you anyway. What a pity that you don't receive him.

B : 아닙니다. 그는 당신을 위해 죽었습니다. 그는 모든 사람을 위해 죽었습니다. 그러나 우리가 영접하지 않고 있습니다. 그럼에도 불구하고 그는 당신을 위해 죽으셨습니다. 그런데도 믿지 않으니 참으로 애석합니다.

A : But, we did not want him to die for us.

A : 그러나 우리는 그가 우리를 위해 죽기를 바라지는 않았어요.

B : He still wanted to die for you because he knew that your sins could never be forgiven unless he paid the price for them on the cross. On what basis do you believe you have forgiveness?

B : 그가 당신을 위해 죽기를 원했습니다. 왜냐하면 그가 십자가에 죽으셔서 당신의 죄를 대신 지불하지 않으면 당신은 결코 용서받을 수 없다는 것을 알고 계셨기 때문입니다. 당신은 어떤 근거로 당신이 용서받았다고 믿습니까?

A : I'm not sure. We just ask God for it and do good.

A : 확실히 모르나 단지 하나님께 용서를 구하고 선행을 합니다.

147

B : That is good. But, God cannot forgive you until there is an objective basis for that forgiveness. Someone must die for your sin. He is Jesus who died on the cross.

B : 그것도 좋으나 하나님은 용서에 대한 객관적인 근거가 있을 때 비로소 용서할 수 있습니다. 누군가가 당신의 죄를 위해 죽어야 합니다. 그는 십자가에서 죽으신 예수님입니다.

The Bible says, "Salvation is found in no one else, for there is no other name under heaven given to men by which we must be saved" (Acts 4:12).

성경은 말씀합니다. "다른 이로서는 구원을 얻을 수 없나니 천하 인간에 구원을 얻을 만한 다른 이름을 우리에게 주신 일이 없음 이니라"(사도행전 4:12).

A : Why did he have to die?

A : 그는 왜 죽어야 했습니까?

B : Because there was no other way for a person to be saved. If there had been any other way, Jesus would not have died. The night before the crucifixion he asked the Father if there was any other way, but there wasn' t. Jesus said, "I am the way and the truth and the life. No one comes to the Father except through me" (John 14:6).

B : 왜냐하면 사람이 구원을 얻을 다른 방법이 없었기 때문입니 다. 다른 방법이 있었다면 예수님은 죽지 않았을 것입니다. 십자가를 지시기 전날 밤에 하나님께 다른 방법을 물어 보았

으나 없었습니다. 예수님은 "내가 곧 길이요 진리요 생명이니 나로 말미암지 않고는 아버지께로 올 자가 없느니라"고 하십니다(요한복음 14:6).

Is Jesus Christ the Only Way to God?
• 예수님만이 하나님께 나가는 유일한 길입니까?

A : I believe that as long as I am sincere, God will be
satisfied. In other words, the earnest Hindu or
Muslim will be accepted because he also worships
God, although under a different name.

A : 내가 성실하게 산다면 하나님은 만족하시리라 믿습니다. 다
른 말로 하면, 진지한 힌두교인이나 이슬람 신자도 구원받을
것입니다. 왜냐하면 그들도 각기 다른 이름이지만 하나님을
경배하기 때문입니다.

B : No, the issue is not how we view various religions,
but what the truth is. Sincerity is commendable, but
it is not a decisive factor.

B : 그러나, 중요한 것은 어떻게 다양한 종교를 보느냐 하는 게
아니라 진리가 무엇인가 하는 것입니다. 진실함은 추천할 만
한 요소이지만 결정적인 요소는 아닙니다.

A : I think Jesus, Buddha and Muhammad are the same
great teacher of religion.

A : 나는 예수, 부처, 모하메트가 다 같은 위대한 종교의 선생이
라고 생각합니다.

B : Some religions recognize Jesus as a great teacher but
not as the Son of God. They deny His deity, His
atoning death. Buddha and Muhammad are men.
They died. But, Jusus rised from the dead. Jesus
plainly says, "I am the way and the truth and the
life. No one comes to the Father except through me."

B : 어떤 종교는 예수님을 위대한 스승으로 인정하지만 하나님의
아들로는 인정하지 않습니다. 그들은 예수님의 신성과 구속
의 죽음을 부인합니다. 부처와 모하메드는 사람이며 그들은
죽었습니다. 그러나, 예수님은 죽음에서 살아나셨습니다. 예
수님은, "내가 곧 길이요 진리요 생명이니 나로 말미암지 않
고는 아버지께로 올 자가 없느니라"고 명백히 말씀하십니다.

What about the Heathen?
• 이교도들은 어떻습니까?

A : God is not fair if God will judge people who have never heard the Good News.

A : 하나님이 복음을 전혀 들어 보지 못한 사람을 심판한다면 공평하지 않을 것입니다.

B : It is difficult to explain it. But the Bible says that God is just. We can have a complete confidence that whatever He does with those who have not heard the Gospel will be right. God has spoken to everyone through other ways.

B : 그것을 설명하기는 어렵습니다. 그러나 성경은 하나님은 정의롭다고 말씀하십니다. 하나님이 복음을 들어 보지 못한 사람들을 어떻게 다루시든지 그분이 의롭다는 것을 우리는 확신합니다. 하나님은 다른 방법을 통하여 모든 사람에게 말씀하십니다.

A : What are those?

A : 그것이 무엇이지요?

B : God has spoken through creation. "Since what may be known about God is plain to them, because God has made it plain to them. For since the creation of the world God's invisible qualities — his eternal power and divine nature — have been clearly seen, being understood from what has been made, so that men are without excuse" (Romans 1:19—20). God has spoken to everyone through creation and also through human conscience. To neglect or reject God in the light of His creation and His voice to human conscience is to leave people without excuse.

B : 하나님은 창조물을 통하여 말씀하십니다. "이는 하나님을 알 만한 것이 저희 속에 보임이라. 하나님께서 이를 저희에게 보이셨느니라. 창세로부터 그의 보이지 아니하는 것들 곧 그의 영원하신 능력과 신성이 그 만드신 만물에 분명히 보여 알게 되나니 그러므로 저희가 핑계치 못할지니라"(로마서 1:19—20). 하나님은 모든 사람에게 피조물과 인간의 양심을 통해 말씀하셨습니다. 그의 창조물과 양심에 들려 주는 그의 소리를 견지해 볼 때 하나님을 무시하거나 거절한다면 핑계를 댈 수 없을 것입니다.

I'm Afraid I Can't Live a Christian Life
• 그리스도인답게 살지 못할까 걱정입니다

A : I am afraid of accepting the Gospel because I am afraid of failing.

A : 나는 실수할까 봐 복음을 받아들이기가 겁납니다.

B : Me too. No one can live the Christian life in his own strength. It is impossible. But, when a person receives Jesus Christ, the Holy Spirit exists in him and strengthens him.

B : 나도 그래요. 어느 누구도 자기 힘으로 그리스도인의 생활을 할 수 없습니다. 불가능하죠. 그러나, 예수 그리스도를 영접하면 성령께서 거하시고 힘을 주십니다.

Which God? • 어느 하나님입니까?

A : I wish I could be rich.

A : 나는 부자가 됐으면 좋겠습니다.

B : Why?

B : 왜요?

A : Money can buy many things I like. It offers a fun and friendship. It offers satisfaction and opportunity.

A : 돈이 있으면 좋아하는 것을 살 수 있습니다. 돈은 즐거움도 주고 좋은 친구도 줍니다. 돈은 만족과 기회를 제공합니다.

B : Yes, it can offer a great deal.

B : 물론 돈은 많은 것을 제공합니다.

A : Many people do not want to make a choice between God and money. Why can' t we take both God and the world side by side? Many people try to reconcile the two in their lives.

155

A : 많은 사람은 하나님과 돈 '사이의 선택을 원하지 않습니다. 왜 하나님과 세상을 나란히 가질 수 없나요? 대부분의 사람은 두 가지를 생활에서 조화시키려고 합니다.

B : The Bible tells us that the world is opposed to God. It is alienated from Him and is not only opposed to Him but is positively at enmity with Him. The world is a place of darkness where men's deeds are evil. They, therefore, hate the light that exposes their evil deeds. We must choose God not the world.

B : 성경은 세상이 하나님을 대항한다고 합니다. 세상은 하나님으로부터 멀리 떨어져 나왔습니다. 세상은 하나님을 대적할 뿐 아니라 하나님과 반목하고 있습니다. 세상은 어둠의 장소입니다. 인간의 행위가 악합니다. 그러므로, 그들은 그들의 행위를 노출시키는 빛을 증오합니다. 우리는 세상이 아닌 하나님을 선택하여야 합니다.

Our Soul • 우리의 영혼

A : What is the most important thing in life?

A : 인생에서 가장 중요한 것이 무엇입니까?

B : That is our soul. Jesus points out clearly the importance of our soul. "What good is it for a man to gain the whole world, yet forfeit his soul? Or what can a man give in exchange for his soul?(Mark 8:36—37)

B : 그것은 영혼입니다. 예수님은 영혼의 중요성을 명확하게 지적하십니다. "사람이 만일 온 천하를 얻고도 제 목숨을 잃으면 무엇이 유익하리요. 사람이 무엇을 주고 제 목숨을 바꾸겠느냐?" (마가복음 8:36—37)

A : Why is our soul important?

A : 왜 우리의 영혼이 중요합니까?

157

B : Because the soul is more valuable than the world and its wealth. As time passes the wealth of this world will be decayed, but the soul will continue to exist.

B : 영혼은 세상이나 그 어떤 재물보다 가치가 있기 때문입니다. 세상의 재물은 시간이 지나면 썩어지더라도 영혼은 계속해서 존재하기 때문입니다.

Unfortunately, there are many people who will only understand the value of their soul, but it is too late.

불행하게도 너무 늦게 영혼의 가치를 이해하는 사람들이 많습니다.

Enmity with God · 하나님과의 반목

A : Man is at war with God ; He refuses to acknowledge God's sovereignty in his life. Are you such a man?

A : 사람은 하나님과의 전쟁 가운데에 있습니다. 사람은 하나님의 주권을 생활 속에서 인정하기를 거부합니다. 당신도 그러합니까?

B : Yes, we are very successful in concealing our enmity. Fighting, lies, bitterness, sexual licence, infidelity in marriage — these are evidence of man's enmity against God.

B : 물론 우리는 반목을 성공적으로 감추고 있습니다. 다툼, 거짓말, 신랄함, 성적인 방종, 불충한 결혼생활 등등은 하나님에 대한 인간의 반목을 증거하는 것입니다.

Darkness • 어두움

A : Do you have inner peace and happiness?

A : 당신은 마음의 평화와 행복을 갖고 있습니까?

B : Well, I try to get peace with all of my strength.

B : 글쎄요. 힘을 다해 평화를 얻고자 합니다.

A : Without God, we live in darkness, think in darkness, act in darkness and finally die in darkness. And no peace is in heart.

A : 하나님이 없다면 우리는 어두움 속에서 살고 생각하고 행동하다가 죽습니다. 또한 마음에 평화도 없습니다.

Natural Man • 자연인

A : Millions of people are religious, but their religion excludes the Bible, God and Jesus.

A : 수많은 사람들이 종교적입니다. 그러나, 그들의 종교는 성경과 하나님, 그리고 예수님을 제외시킵니다.

B : Why?

B : 왜요?

A : Because people' s mind is closed and does not possess ability to understand the truth presented in the Bible. Furthermore, they have neither a desire nor an ability to please God.

A : 사람들의 마음이 닫혀 있고 성경에 나타난 진리를 이해하는 힘을 지니지 않았기 때문입니다. 더욱이 하나님을 기쁘시게 할 마음도 능력도 없기 때문입니다.

161

But when they find God, they are able to understand and see things which they never saw before.

그러나, 그들이 하나님을 발견할 때 전에 전혀 보지 못했던 것을 이해하고 볼 수 있습니다.

Paul explains the reason for this : "The man without the Spirit does not accept the things that come from the Spirit of God, for they are foolishness to him, and he cannot understand them, because they are spiritually discerned" (1Corin 2:14).

바울은 그 이유를 이렇게 설명합니다. "육에 속한 사람은 하나님의 성령의 일을 받지 아니하나니 저에게는 미련하게 보임이요 또 깨닫지도 못하나니 이런 일은 영적으로라야 분변함이니라" (고린도전서 2:14).

New Birth • 새로운 탄생

A : How can I get rid myself of things such as anger, rage, malice, slander and filthy language?

A : 어떻게 하면 성냄과 분노와 악의와 중상과 더러운 말을 제거할 수 있을까요?

B : The answer is to 'take off' the old self and replace it with a new nature by being born spiritually.

B : 옛 사람을 벗어 버리고 영적으로 거듭남으로 새로운 피조물이 되면 됩니다.

When we receive a new life, something happens. The Holy Spirit comes and dwells in our body.

우리가 새 생명을 얻을 때 성령께서 오셔서 우리 몸에 거하십니다.

Why the Cross? • 왜 십자가입니까?

A : Why the cross?

A : 왜 십자가입니까?

B : Because we needed a subsitute. God provided His son Jesus Christ for us.

B : 대속물이 필요했기 때문입니다. 하나님은 그의 아들 예수 그리스도를 우리를 위해 준비하셨습니다.

This is a heart of Gospel. Owing to Jesus's deed on the cross, sin can be forgiven. To repent our sins and to believe this good news, is to receive a pardon and an eternal life.

이것이 복음의 핵심입니다. 예수님께서 십자가에서 죽으셨기 때문에 죄를 용서받을 수 있습니다. 우리의 죄를 회개하고 복음을 믿는 것이 용서를 받고 영생을 얻는 길입니다.

164

Is Christianity the Only True Religion?
• 기독교는 유일한 참 종교입니까?

A : Many people find it hard to accept an exclusive claims of the Christian faith.

A : 많은 사람들은 기독교 신앙의 절대적인 주장을 받아들이기 어렵다고 합니다.

B : What about the Buddhist, Muslim, Hindus, Jews and followers of all the other religions in the world? Are they all wrong? How do we know that Christianity is right?

B : 불교인, 이슬람 신자, 힌두교도, 유대인과 다른 종교의 신자들은 어떻습니까? 그들은 모두 잘못되었습니까? 기독교가 옳다는 것을 어떻게 압니까?

A : Perhaps we need to say that true Christians love and respect people in other religions. However, Christians insist on the supremacy of Jesus Christ for one major reason — He came back from the dead. No one else has done that. He is alive today.

A : 참 그리스도인은 다른 종교를 믿는 사람을 사랑하고 존경한
다고 말할 필요가 있습니다. 그러나 그리스도인은 예수님이
죽은 자로부터 살아나셨다는 이유 하나로도 예수 그리스도의
우월성을 주장합니다. 누구도 그렇게 하지 못했으며 예수님
은 지금 살아 계십니다.

Can I Worship God in My Own Way?
• 내 방법으로 하나님을 예배할 수 있습니까?

The answer to this question is simple : "No."

물론 대답은 '아니오' 입니다.

Most of us insist on having our own way, and this is one of reasons why often we have no true spiritual life.

우리들 대부분은 자신의 방법을 주장합니다. 이것이 우리가 왜 진실한 영적인 생활이 없는가 하는 이유가 됩니다.

Our own way has led us astray and has left us with a great inner emptiness.

우리 자신의 방법은 우리를 잘못 인도하여 커다란 내적 공허감을 남겼습니다.

If God is God, surely He has the right to decide on the way in which we approach Him.

만일 하나님이 신이라면 우리가 어떻게 그에게 접근해야 하는지 를 결정하는 권한을 갖고 계십니다.

He has declared that, because of our sinfulness, our way and method are not acceptable to Him.

우리의 죄로 인하여 우리의 길과 방법으로는 그에게 접근할 수 없다고 선언하십니다.

He is pure and holy, and has decreed that the only way we may approach Him is through His son, Jesus Christ our Lord.

하나님은 순수하고 거룩하십니다. 그리고 우리가 그에게 접근할 수 있는 유일한 길은 그의 아들 예수 그리스도뿐이라고 선포하셨습니다.

I Feel That God Has Let Me Down
• 하나님은 나를 낙심시켰습니다

Some people find themselves reluctant to respond to the gospel because nothing happened when they prayed during a personal crisis.

어떤 사람들은 그들 스스로 복음에 대해 혐오스럽게 생각합니다. 왜냐하면 그들이 위기에 처했을 때 기도했지만 아무 일도 일어나지 않았기 때문입니다.

It appeared to be no help from God. The sickness was not healed ; marital problems were ended in divorce ; financial difficulties and related hardship had to be endured

하나님은 아무런 도움도 되지 않았습니다. 병도 낫지 않았고 결혼 생활의 문제가 이혼으로 끝났으며 재정적인 어려움과 고난이 계속되었습니다.

169

Our unanswered prayers may be God's way of calling us to a correct set of priorities. We need to enter a right relationship with Him first. Then prayer will work.

응답받지 못한 기도는 하나님이 우리에게 올바른 우선권을 세우라고 부르시는 하나님의 방법이 될 수 있습니다. 우리는 하나님과 올바른 관계를 맺어야 합니다. 그때 기도의 응답이 옵니다.

As we grow spiritually, we discover that God has a perfect plan. His will is perfect, and we will be filled with a sense of contentment as we walk with Him and see his plan for our life unfold.

영적으로 성장할 때 우리는 하나님이 완전한 계획을 갖고 계시다는 것을 발견합니다. 그의 뜻은 완전합니다. 그와 함께 걸으며 우리 인생을 향하신 그의 계획을 볼 때 우리는 만족감으로 충만할 것입니다.

The Church Has Failed Me
· 교회는 나를 실망시켰습니다

Some people are reluctant to become a Christian because of the past disappointment with church.

어떤 사람은 교회에서 실망한 적이 있기 때문에 그리스도인이 되는 것을 망설입니다.

Some allegations are real and justifiable, but others are grossly exaggerated.

어떤 주장은 사실이고 타당성이 있으나 과장된 것도 있습니다.

Church may fail, while individual Christian may disappoint us. But invitation is not for you to become a follower of the church. It is for you to become a follower of Jesus Christ.

교회가 실수할 수도 있고 개개의 그리스도인이 우리를 실망시킬 수도 있습니다. 그러나 당신이 교회의 제자가 되는 것이 아니라 예수 그리스도의 제자가 되는 것이 중요합니다.

171

When you become a Christian, you become a member of Christian family. The real church is not a structure of an institution.

그리스도인이 될 때 당신은 그리스도인 가족의 일원이 됩니다. 참 교회는 건물이나 제도가 아닙니다.

It is made up of people like you and me, despite our failure and weakness.

교회는 우리의 실패와 연약함에도 불구하고 너와 나 같은 사람이 모여 되는 것입니다.

Church is not perfect, but it provides a place of warmth and encourgement, which makes it important.

교회는 완전하지 않습니다. 그러나, 교회는 따뜻함과 격려의 장소를 제공합니다. 그래서 교회는 매우 중요합니다.

Some people maintain that they need not go to church to be a Christian. It is true that church does not make you a Christian, but this opinion is as absurd as to claim that a petroleum is not essential to run a motor car.

어떤 사람은 그리스도인이 되기 위해 교회에 꼭 갈 필요는 없다고 주장합니다. 교회가 그리스도인을 만들 수는 없습니다. 그러나, 이 주장은 휘발유가 자동차를 움직이는 데 필요하지 않다는 것과 같습니다.

Many churches are warm, attractive and welcoming, which provides a ministry that meets our need because it is based on the Word of God.

많은 교회가 따뜻하고 매력이 있으며 환영하는 분위기입니다. 또한 우리의 필요를 채우는 사역을 마련합니다. 왜냐하면 하나님의 말씀에 근거하고 있기 때문입니다.

We can worship God and share God's love together in the church.

우리는 교회에서 하나님께 예배드리고 하나님의 사랑을 나눌 수가 있습니다.

Shall I Make a Fool of Myself?
• 나는 바보가 되는 것입니까?

Many people think that if they become a Christian, others will laugh at them or their friends will think them insincere.

많은 사람들이 만일 자신이 그리스도인이 된다면 친구들이 조롱하거나 진실되지 못하다고 여길 것이라고 생각합니다.

No doubt many people will think you are a fool if you surrender to Jesus Christ. You will be doing something that the world does not understand.

물론 당신이 예수께 순종한다면 당신을 바보라고 생각할 것입니다. 당신은 세상이 이해하지 못하는 것을 할 것입니다.

But, it doesn't matter that your friends think about your sincerity or anything else. For God sees your heart.

그러나, 친구가 당신의 신실함이나 혹은 다른 어떤 것에 대해 생각하더라도 관계가 없습니다. 하나님이 당신의 마음을 보시기 때문입니다.

The apostle Paul tells us in 1Corin 1:18 – 20. "For the message of the cross is foolishness to those who are perishing, but to us who are being saved it is the power of God. For it is written : 'I will destroy the wisdom of the wise ; the intelligence of the intelligent I will frustrate.' Where is the wise man? Where is the scholar? Where is the philosopher of this age? Has not God made foolish the wisdom of the world?"

사도 바울이 고린도전서 1장 18절부터 20절까지에서 말씀하십니다. "십자가의 도가 멸망하는 자들에게는 미련한 것이요 구원을 얻는 우리에게는 하나님의 능력이라. 기록된 바 내가 지혜 있는 자들의 지혜를 멸하고 총명한 자들의 총명을 폐하리라 하였으니 지혜 있는 자가 어디 있느뇨. 선비가 어디 있느뇨. 이 세대에 변사가 어디 있느뇨. 하나님께서 이 세상의 지혜를 미련케 하신 것이 아니뇨."

When you become a Christian, the Holy Spirit takes up a residence in your body and you discover an unexpected inner strength.

당신이 그리스도인이 될 때 성령이 당신의 몸을 거주지로 삼으며 당신은 기대하지 못한 내적인 힘을 발견하게 됩니다.

Will God Really Send People to Hell?

• 하나님은 정말 사람들을 지옥에 보내십니까?

Many cannot conceive of God who will send people to hell. But it is true.

많은 사람들이 인간을 지옥에 보내는 하나님을 상상하지 못하나 그것은 사실입니다.

It is true that He is a God of love, but we must understand that He is also holy and righteous.

그가 사랑의 하나님이라는 것은 사실입니다. 그러나 또한 그가 거룩하고 정의롭다는 것도 알아야 합니다.

That is why he has set aside a time which the Bible describes as a time of judgement. God's justice must be done and be seen.

그러므로 그는 성경이 말하는 심판의 때를 준비하셨습니다. 하나님의 정의는 반드시 실행되며 그 실행을 보게 될 것입니다.

You need not fear judgement or hell if you are a

Christian. You need not trouble yourself over those who have not heard the gospel.

당신이 그리스도인이라면 심판과 지옥을 두려워할 필요가 없습니다. 복음을 듣지 못한 자를 걱정할 필요도 없습니다.

Whatever God does will be right, just and fair. Our responsibility is to preach the gospel to all.

하나님이 하시는 것은 무엇이나 옳고 정의롭고 공평합니다. 우리의 책임은 복음을 만민에게 전하는 것입니다.

I am too Great a Sinner
• 나는 너무 큰 죄인입니다

Many people genuinely feel that their sins are so gross and their personal failure are so many that there is no hope for themselves.

많은 사람은 죄가 너무 크고 실수가 많아서 스스로 희망을 저버립니다.

Jesus came to call sinners to repentance — not righteous people.

예수님은 의인이 아닌 죄인을 회개시키려고 오셨습니다.

Jesus was crucified between two criminals — a thief and a murderer. One of them turned to Jesus Christ in his dying moments and found acceptance(Luke 23:33, 39—43).

예수님은 두 범죄자(한 도둑과 한 살인자) 가운데서 십자가에 달리셨습니다. 그 중 한 명은 죽는 순간에 예수님께로 돌아와 영접을 받았습니다(누가복음 23:33, 39—43).

It is not too late and there is no sin too great for God to forgive. In 1John 1:9 we read : "If we confess our sins, he is faithful and just and will forgive us our sins and purify us from all unrighteousness."

하나님께는 너무 늦거나 너무 크다고 해서 용서하지 못하는 죄는 없습니다. 요한일서 1장 9절은, "만일 우리가 우리 죄를 자백하면 저는 미쁘시고 의로우사 우리 죄를 사하시며 모든 불의에서 우리를 깨끗케 하실 것이요"라고 합니다.

I Have Tried It But It Did Not Work
• 노력했지만 실패했습니다

Some people are in trouble when they are confronted with the gospel. At some stage in their lives, they made a commitment to God and nothing seemed to happen. They fear that the same thing will happen again.

어떤 사람은 복음과 대치될 때 걱정합니다. 인생의 단계에서 하나님께 헌신하였으나 아무 일도 일어나지 않았으며 이런 일이 반복될까 봐 두려워합니다.

It is possible to have a religious experience without a spiritual birth. But, it is a new birth that makes the difference.

영적인 거듭남 없이도 종교적인 경험을 할 수 있습니다. 그러나 변화되는 것이 새로운 탄생입니다.

When you receive a new life, the Holy Spirit takes up residence within you and gives you a new nature.

새 생명을 얻을 때 성령이 당신 안에 거하시고 새로운 성품을 주십니다.

Unless this happens in your life, no religious experience will make any difference.

이런 일이 생활 속에 나타나지 않으면 종교적인 경험은 아무런 소용이 없습니다.

In other case, people have made a spiritual commitment but have not followded it through. There has been no spiritual nourishment and, as a result, no development or growth has been taken place.

다른 경우에서도 영적인 헌신을 하였지만 실패했다면 영적인 영양분이 없었고 결과적으로 발전이나 성장이 없었던 것입니다.

The time has come for you to put these things aside and invite Christ as your personal saviour.

이제 이런 일들은 제쳐놓고 그리스도를 구세주로 초청할 시간이 되었습니다.

Ask Him to bring you a true life and then determine to live for Him from today on.

진실한 삶을 살게 해 달라고 요청하고 오늘부터 그를 위해 살도록 결심하십시오.

Shouldn' t I Wait for? • 기다리면 안 됩니까?

Shouldn' t I wait for my husband(wife, partner, girl friend, boy friend)? Sometimes we fear that if we become a Christian, we risk losing someone.

내 남편(아내, 동반자, 여자 친구, 남자 친구)을 기다리면 안 됩니까? 그리스도인이 된다면 누군가를 잃을까 봐 두렵습니다.

This fear can be very real. The problem is that loved ones do not often want to share a new found Christian faith. This is the cost we may have to pay if we become disciples of Jesus Christ.

이 두려움은 매우 현실적입니다. 사랑하는 사람이 새로 발견된 기독교 신앙을 함께 나누지 않는 것이 문제입니다. 그러나 예수님의 제자가 되려고 한다면 이것은 당연히 치뤄야 할 대가입니다.

Remember that salvation is a personal decision. If God speaks to you, he speaks to you personally.

구원은 개인적인 결단이라는 것을 기억하십시오. 하나님이 당신에게 말씀하신다면 아마 직접 말씀하실 것입니다.

182

When we stand before Him on the great day of judgement, we will be alone — there will be no partner or friend with us.

대심판날 하나님 앞에 설 때 우리는 혼자일 것입니다. 동반자도 친구도 우리 옆에 있지 않습니다.

If your partner will not go to heaven with you, is it worth taking the risk of going to hell with him or her?

당신의 동반자가 천국에 같이 가지 않는다고 지옥에 함께 가는 위험을 무릅쓰겠습니까?

Jesus knew that this would be a difficult decision for many people and said :
"If anyone comes to me and does not hate his father and mother, his wife and children, his brothers and sisters — yes, even his own life — he cannot be my disciple" (Luke 14:26).

예수님도 이러한 결단이 어렵다는 것을 알고 말씀하셨습니다. "무릇 내게 오는 자가 자기 부모와 처자와 형제와 자매와 및 자기 목숨까지 미워하지 아니하면 능히 나의 제자가 되지 못하고" (누가복음 14:26).

Jesus did not mean that we should literally despise or hate our loved ones. He meant that salvation of our soul and our relationship with God should supersede all other relationship.

183

예수님은 우리가 문자적으로 사랑하는 자들을 멸시하고 미워하라고 한 것이 아닙니다. 우리 영혼의 구원과 하나님과의 관계가 다른 어떤 관계보다 우선해야 한다는 의미입니다.

Do not wait. Come to Jesus Christ and find a life, even if you have to come alone.

기다리지 마십시오. 비록 혼자 오더라도 예수님께 와서 생명을 찾으십시오.

It's Not the Right Time for Me
• 지금은 때가 아닙니다

Many people reply that now is not the right time. They need to ask themselves, "when will the time be right?"

많은 사람이 지금은 때가 아니라고 합니다. 그렇다면 그들은 스스로 "어느 때가 적시인가"라고 물어 볼 필요가 있습니다.

We cannot wait until our feeling will be right. Who should decide on when conversion takes place or how you should feel about it — you or God?

우리의 감정이 때가 되었다고 느낄 때까지 기다릴 수는 없습니다. 회심을 언제하고 어떻게 느껴야 할 것인지를 누가 결정해야 합니까? 당신입니까 하나님입니까?

The devil will always try to convince you that it's the wrong time. As the time goes by, God's invitation will become fainter and more irrelevant, until you finally lose your opportunity to come to Him.

마귀는 항상 지금은 때가 아니라고 유혹합니다. 세월이 지나면 하나님의 초청은 점점 희미해지고 멀어져 당신은 결국 그에게 갈

기회를 잃게 됩니다.

Now is the right time. Take this opportunity and turn to Jesus Christ.

지금이 적시입니다. 이번 기회에 예수님께 돌아오십시오.

Come, just as you are, with all your failure and sin. Don't wait for everything to fall into place.

실패한 그대로 죄 지은 그대로 오십시오. 모든 것이 제대로 될 때까지 기다리지 마십시오.

What to Do to Become a Christian?
• 그리스도인이 되기 위해 어떻게 할까요?

You need to repent your sin. God cannot forgive your sin until you confess it to Him.

당신의 죄를 회개해야 합니다. 당신이 죄를 회개할 때까지 당신의 죄는 용서받을 수 없습니다.

If you confess, God forgives you. The Bible says, "He is faithful and just and will forgive us our sins." (1John 1:9)

당신이 죄를 고백하면 하나님은 당신을 용서하십니다. 성경은 말합니다. "저는 미쁘시고 의로우사 우리 죄를 사하시며." (요일 1:9)

You must not only repent, but believe the Gospel in order to be saved. You must receive Jusus as Saviour, and then you can become a Christian.

구원을 얻기 위해 회개하고 복음을 믿어야 합니다. 예수님을 구주로 영접하면 그리스도인이 될 수 있습니다.

187

I Would Like to Be a Christian, But I Cannot Forgive My Enemies
• 믿고는 싶으나 원수를 용서할 수 없어요

God can take away from us a heart filled with hatred and replace it with a heart filled with love.

하나님은 증오로 가득한 마음을 없애 주고 사랑이 가득한 마음으로 바꿔 주십니다.

Unless you forgive your enemies, God will not forgive you. Matthew 6:12 says, "Forgive us our debts, as we also have forgiven our debtors."

당신이 원수를 용서하지 않는다면 하나님도 당신을 용서하지 않을 것입니다. 마태복음 6장 12절에, "우리가 우리에게 죄 지은 자를 사하여 준 것과 같이 우리 죄를 사하여 주옵시고"라고 말씀합니다.

I Must Become Better
Before I Become a Christian
• 믿기 전에 더 좋은 사람이 되어야겠습니다

You seem to say that you must attain a certain degree of moral character before you can be accepted by Jesus Christ.

당신은 예수님을 영접하기 전에 어느 정도의 도덕적인 수준에 도달해야 한다고 말할지도 모릅니다.

This attitude toward salvation is fundamentally wrong. Salvation comes by the grace of God through believing Jesus, not by works of man.

구원에 접근하는 이 태도는 근본적으로 잘못된 것입니다. 구원은 사람의 행위로 인한 것이 아니라 예수를 믿음으로 오는 하나님의 은혜입니다.

A man must come to Christ as he is, and repent his sin and accept Him. Like the prodigal son(Luke 15:18—24) and a thief on the cross, you just come to Jesus who will save you.

있는 그대로 예수님께 나아가 죄를 회개하고 영접해야 합니다.
탕자와 같이(누가복음 15:18-24) 십자가 위의 강도와 같이 그냥
예수님께 오십시오. 그러면 구원을 얻습니다.

I Am Afraid I Will Be Persecuted If I Become a Christian
• 예수 믿고 핍박당할까 두렵습니다

You should not be afraid of being ridiculed by men. You must fear God.

사람들의 조롱을 두려워하지 마십시오. 하나님을 두려워해야 합니다.

Your friends are not worthy enough to be partners in a life time, for they are enemies of God. You have gained more worthy blessing. You have gained Christ as your companion, eternal life as a reward.

당신의 친구는 하나님과 적이 되기 때문에 평생의 동반자가 될 가치를 지니지 못했습니다. 당신은 가치 있는 축복을 얻었습니다. 그리스도를 친구로 얻었고 영생을 보상으로 받았습니다.

To suffer for Christ is a great honor and privilege. Don't worry. He will keep you even in the persecution.

그리스도를 위해 고난받는 것은 위대한 영예이며 특권입니다. 걱정하지 마십시오. 그는 핍박 중에도 당신을 지켜 주십니다.

I Have Tried Before But Failed
• 시도한 적이 있지만 실패했습니다

Many Christians have failed in a Christian life simply because they have not lived in it, or they did not start rightly.

많은 그리스도인들이 그리스도인다운 삶에 실패합니다. 이는 그리스도인의 생활을 하지 않았거나 시작을 제대로 하지 않았기 때문입니다.

It is much harder to try to live a Christian life after a failure than to try for the first time.

그리스도인의 삶은 시작보다 중도에 실패한 후에 다시 시작하는 것이 더 어렵습니다.

To ascertain a cause of failure we need to ask questions as following :

실패의 원인을 알아 보기 위해 다음과 같은 질문을 할 필요가 있습니다.

Did you absolutely trust in Christ and in His finished work for your salvation? Did you absolutely surrender yourself to Christ? Did you confess Christ publicly? Did you pray constantly? Did you study the Bible daily? Did you go to work for Christ?

그리스도를 절대적으로 신뢰하고 당신의 구원을 위해 성취하신 일을 신뢰했습니까? 그에게 절대적으로 순종했습니까? 그리스도를 만인 앞에서 고백했습니까? 계속적으로 기도하고 매일 성경을 공부하고 그리스도를 위해 일했습니까?

I Want to Get Established in Business before Becoming a Christian
• 사업이 안정되면 믿겠습니다

Explain the story of the rich fool in Luke 12:16−21. Matthew 6:33 says, "But seek first his kingdom and his righteousness, and all these things will be given to you as well."

누가복음 12장 16절부터 21절까지에 있는 어리석은 부자의 이야기를 설명하십시오. 마태복음 6장 33절은 말합니다. "너희는 먼저 그의 나라와 그의 의를 구하라 그리하면 이 모든 것을 너희에게 더하시리라."

What is the profit if you gain the world, but lose your soul? Suppose you get established in business, what assurance do you have that you will have a time or a desire to turn to God and seek for salvation?

세계를 얻고 영혼을 잃으면 무슨 소용이 있겠습니까? 사업이 안정된 후 하나님께 돌아와 구원을 구할 시간과 소원이 있다는 것을 어떻게 장담할 수 있습니까?

194

Is the Goal of Christian Love Conversion?

• 그리스도인의 사랑의 목표는 회심입니까?

Muhammadu : Don't tell me about your Christian love specially. Your love is not different from the love of everyone in the world.

무하마드 : 그리스도인의 사랑이 특별하다고 말하지 마. 그 사랑 이란 세상에 있는 다른 사람의 사랑과 다를 바 없어.

Ama : What do you mean, Muhammadu? Show me where you've started even one school to train the young of this country. Show me, if you can, if there is such a thing as Muslim love to compare with a kind of Christian love for the people. Look what Christians have done ⋯ and all is out of love.

아마 : 무슨 말이야? 이슬람 신자들이 이 나라의 청년들을 훈련 하기 위하여 학교를 세운 적 있어? 사람을 위한 그리스도 인의 사랑과 비교할 만한 이슬람 신자들의 사랑이 있다면 보여 줘. 그리스도인이 사랑으로 행한 일들을 보라구.

195

Muhammadu : That's exactly what I mean. Christian's

love is not different from the world' s love. The love of world is to gain something. I love my neighbor in order to get business. A Politician loves people to get their votes. Christains love people to get them to come to church. That is what I mean Christian loves others only to convert them.

무하마드 : 바로 그 말이야. 그리스도인의 사랑과 세상의 것은 다르지 않아. 세상은 무엇을 얻기 위하여 사랑하지. 나는 사업을 하려고 이웃을 사랑해. 정치인은 표를 위하여 사람을 사랑하고 그리스도인은 사람을 교회로 오게 하려고 사랑하지. 내 말은 그리스도인은 회심을 위해 사랑한다는 거야.

Ama : That' s not true, Muhammadu. We, of course, are interested in becoming Christian of more people. But, that' s not the main reason we build hospitals and schools, feed the hungry and clothe the poor. We believe that due to what Christ has done for us we are no longer to live for ourselves but for others. Jesus gave us an example of how we do when He washed foot of disciples(John 13:1−15). We love because He first loved us(1John 4:19). That' s what Christian love is all about.

아마 : 그렇지 않아, 무하마드. 물론 우리는 더 많은 사람이 그리스도인이 되는 데 관심이 있지만 그것이 병원과 학교를 세우고 배고픈 자를 먹이고 가난한 자를 입히는 주된 이유는 아니야. 그리스도께서 우리에게 하셨듯이 우리도 자신이

아닌 남을 위해 사는 거야. 예수께서 제자들의 발을 씻으셨을 때(요한복음 13:1—15). 우리에게 모범을 보여 주신 거지. 그가 먼저 우리를 사랑했기에 우리도 사랑하는 거야(요일 4:19). 이것이 그리스도인의 사랑이지.

Muhammadu : It's beautiful how you talk about it. Ama, that's a kind of idealistic. But, let's get down to practicalities. When I was working in the North, I became sick so that I had to go to a hospital. There was a Christian hospital in the nearest. Every morning I had to be treated in a church hospital. I was afraid whether I might be treated properly. Even outpatients had to listen to a sermon before seeing a doctor. Is it a love to let patients hear a sermon before treating wounds or getting a medicine?

무하마드 : 네가 사랑에 대해 얘기하는 모습이 아름답다. 그러나 그것은 이상적인 사랑이야. 현실적으로 이야기해 보자. 내가 북부에서 근무할 때 아픈 적이 있었어. 병원에 가야 했다. 가장 가까이에 기독교 병원이 있었지. 매일 아침 교회 병원에서 치료를 받아야 했어. 적절한 치료를 받지 못할까 봐 걱정을 했지. 외래 환자들도 치료받기 전에 설교를 들어야만 했어. 상처를 치료하고 약을 처방하기 전에 설교를 강제로 듣게 하는 것이 사랑이야?

197

Ama : Muhammadu, let me say that if you have two precious gifts to share with your neighbor — two keys of silver and gold. Let's say the gold is more precious. This was the key to eternal life while the other was a key to earthly life. You wanted your neighbor to have both, but you had to give him one before the other. Now, if a medicine for soul was the golden key, and a medicine for his stomach was silver key, wouldn't you feel that the golden key should be given first?"

아마 : 네가 이웃에게 줄 귀한 선물이 두 가지 있다고 하자. 즉, 은열쇠와 금열쇠인데 금이 더 값있다고 하자. 한 열쇠는 영생으로 가게 하는 반면 다른 열쇠는 세상에서의 삶을 위한 것이지. 너는 네 이웃이 두 열쇠를 갖기 원하고 열쇠를 차례차례로 주어야 하지. 만약 영혼의 약이 금열쇠이 고 육신의 양식을 위한 약이 은열쇠라면 먼저 금열쇠를 주지 않겠니?

Muhammadu : It still seems to me you're taking a selfish advantage of people who don't have any other choice. I don't see your claim why Christian love is different for that of Muslim. Any pagan loves his neighbor. We're all out to get whatever we can — let's admit it. There is nothing wrong in that.

무하마드 : 선택의 여지가 없는 사람을 이기적인 목적으로 이용하는 것처럼 들리는데. 어떻게 그리스도인의 사랑이 이슬람 신자와 다르다고 주장하는지 모르겠어. 이방 종교인도 자기의 이웃을 사랑하지. 우리는 있는 힘을 다해서 얻으려고 하니까 — 그래, 인정하자. 나쁠 것은 없지.

Ama : But there is something wrong in that. I admit our Christian love isn't always perfect. Jesus' love was perfect. Maybe we've sometimes let our love be controlled by a selfish desire to win people for Christ rather than let it be controlled by Christ Himself. Yakubu, don't you have anything to say to help me out with Muhammadu? How do you convince a Muslim that our love isn't selfish?

아마 : 그러나, 그게 잘못이야. 그리스도인의 사랑이 항상 완전하다고는 인정하지 않아. 예수님의 사랑은 항상 완전하지. 그리스도께 사람을 인도하기 위해 예수님의 통제를 받기보다는 이기적인 욕망으로 사랑할 때도 있는 거야. 야쿠부, 무하마두를 도와 줄 말이 없을까? 우리의 사랑이 이기적이 아니라고 이슬람 신자를 설득할 수 없을까?

Yakubu : Jesus says we must go to all nations as disciples, right? If I am interested in fulfilling the Great Commission and if it is helpful to build schools and hospitals, why should I be ashamed of telling this story to my Muslim neighbors? Why should we be ashamed of admitting this for ourselves? Why not even openly proclaim it to the world? We must convert them to Christ.

야쿠부 : 예수님은 온 세상에 가서 제자를 삼으라고 말씀하셨지. 지상명령을 수행하는 데 관심이 있고 학교와 병원을 짓는 것이 그 과정이라면 내 이웃 이슬람 신자에게 이 사실을 말하는 것을 왜 부끄러워하지? 이 사실을 인정하는 것을

왜 부끄러워하지? 이 사실을 왜 세상에 외치지 않지? 우리는 그들을 그리스도께로 인도해야 하지.

Many Are Religious But Lost
• 종교적이지만 영혼을 잃어버린 사람들

Nicodemus was a religious man. John 3:1 says, he was a Pharisee. Today that word contains a negative connotations, some negative aspects, but it was not all negative.

니고데모는 종교적이었습니다. 요한복음 3장 1절에 그는 바리새인으로 나와 있습니다. 오늘날 이 말에는 부정적인 의미가 함축되어 있습니다. 그러나, 모두가 부정적인 것은 아니었습니다.

For one thing, Pharisees believed in the existence of angels and the resurrection of the dead. Sadducees denied both doctrines.

한 가지 예를 들면, 바리새인은 천사의 존재와 죽은 자의 부활을 믿었습니다. 사두개인은 둘 다 부인했습니다.

Pharisees were religiously conservative, while Sadducees were liberal. Furtheremore, Pharisees were zealous for the law. So eager were they to keep the law of Moses.

사두개인이 자유주의자였던 반면 바리새인은 종교적으로 보수주의자였습니다. 더 나아가 바리새인은 율법에 열성적이었고 그래서 열심히 모세의 율법을 지켰습니다.

The law was a cause of their trouble. They had so many laws that they cannot keep completely. They committed trying to keep and then became a hypocrite.

율법이 문제의 원인이었습니다. 너무나 많은 법들이 있어 모두 지킬 수 없었던 것입니다. 그들은 노력하는 과정에서 잘못을 범했습니다. 그래서 그들은 위선자가 되었습니다.

Nicodemus, a Pharisee, recognized many presuppositions that Jesus made. He also readily admitted that Jesus was from God.

바리새인으로서 니고데모는 예수님이 설정한 전제를 인정했습니다. 그는 또한 예수님이 하나님으로부터 온 것도 인정했습니다.

People like this man exist in the world. They are not hypocrites but religious people who accept all presuppositions — but they are lost.

이런 사람은 오늘날에도 있습니다. 그들은 위선자는 아니나 모든 전제를 받아들이는 종교적인 사람입니다. 그들은 영혼을 잃은 자들입니다.

Religious People Need to Be Confronted with the Gospel
• 종교인은 복음을 만나야 합니다

Nicodemus came to ask about a spiritual thing. Jesus told him directly, "No one can enter the Kingdom of God unless he is born of water and the Spirit" (John 3:5).

니고데모는 영적인 일들을 물으러 왔습니다. 예수님은 단도직입적으로 말씀하셨습니다. "사람이 물과 성령으로 나지 아니하면 하나님 나라에 들어갈 수 없느니라." (요한복음 3:5)

Jesus confronted a religious man with a spiritual truth immediately. We also have to confront a religious person with the gospel of grace of God.

예수님은 이 종교적인 사람을 영적인 진리로 대면했습니다. 우리도 또한 종교인을 은혜의 복음과 만나게 해야 합니다.

That is what Jesus did. At the end of His conversation, he told Nicodemus that no man has ascended to heaven, but the Son of Man had come to die, which made only believers have an eternal life.

203

그것이 예수님이 하신 일입니다. 대화가 끝나 갈 무렵 예수님은 니고데모에게 아무도 하늘 나라에 올라간 사람은 없지만 인자는 죽으러 왔고 오직 믿는 자만이 영생을 얻을 수 있다고 말씀하셨습니다.

In a similar way, we need a clear and simple presentation of the gospel. We need to use it to the religious lost.

유사한 방법으로 우리는 복음을 확실하고 단순하게 전할 필요가 있습니다. 영혼을 잃어버린 종교인에게 복음을 사용해야 합니다.

Y ou Are Important before God
• 당신은 하나님 앞에 중요한 사람입니다

Someone think that you are important. The process that forms a human being is incredible. You were made uniquely. You were known and valued by God even before a birth.

"Thou created every part of me, when my bones were formed, carefully put together in mother' s womb. When I was growing there in secret, Thou knew that I was there — You saw me before a birth."

당신이 중요한 사람이라고 생각하는 분이 계십니다. 인간이 형성되는 과정은 신비스럽습니다. 태어나기 전에 하나님은 당신을 특성 있게 만들고 알고 계시며 가치를 부여하셨습니다.

"당신은 나의 모든 부분을 창조하셨습니다. 내 뼈가 형성되었을 때 나의 모태에서 잘 맞추시며 내가 은밀히 자랄 때 나를 알고 계셨습니다. 당신은 내가 태어나기 전에 나를 보셨습니다."

Someone listens to your word. It is very important to listen to and understand each other for relationship. To be ignored has left us to feel rejected. But, God listens to us when we seek Him and he keeps a special relationship through Jesus. The living Jesus says, "Here I am! I stand at the door and knock. If anyone hears my voice and opens the door, I will come in and eat with him, and he with me."

당신의 말을 관심 있게 듣는 분이 계십니다. 서로 듣고 이해하는 것은 관계 속에서 매우 중요한 부분입니다. 무시하는 것은 거부감을 남깁니다. 그러나, 하나님은 우리에게 귀를 기울이시고 예수를 통해 우리와 특별한 관계를 맺으십니다. 살아 계신 주 예수님은 말씀하십니다. "볼지어다 내가 문밖에 서서 두드리노니 누구든지 내 음성을 듣고 문을 열면 내가 그에게로 들어가 그로 더불어 먹고 그는 나로 더불어 먹으리라" (요한계시록 3:20).

Someone concerns about the way how to live. God cares the way how we live. A problem is a wrong doing in our lives. Many difficult thing stem from a failure to try what is right. It matters how we live.

당신이 사는 방법에 관심이 있는 분이 있습니다. 하나님은 우리의 사는 방법에 깊은 관심을 갖고 계십니다. 문제는 우리가 삶속에서 행하는 악행입니다. 많은 어려움은 옳은 것을 이행하지 못한 데서 비롯되는 것입니다. 우리가 어떻게 사는가가 중요합니다.

Someone secures you. We are living in the world of insecurity — a world of disaster, national crisis, unemployment, family breakup and personal anxieties. God is the only real source of security in the world. What he offers is permanent to this life and to the next.

우리에게 안전을 주는 분이 계십니다. 우리는 불안한 세상 즉, 재난, 국가적 위기, 실직, 가족 붕괴, 개인적 갈등의 세상에서 살고 있습니다. 하나님만이 참으로 유일한 안전의 근본입니다. 하나님은 현세와 내세를 위해 영원한 것을 주십니다.

Why Should You Know the Truth about God?

• 왜 하나님의 진리를 알아야 합니까?

You need to know the truth about God : God is the Creator, the Ruler, and the Judge of universe. As a Creator he owns everything he has made. As a Ruler he has a certain law for the good of all His creatures and His world. As a Judge he will reward or punish every person according to his obedience or disobedience. Since God is your Creator, Ruler, and Judge, you need to know the truth about Him and what He expects you. God is a loving Father, too. He offers you a true joy. You need to know him to enjoy His love and blessing. God is the Giver of life. He offers you a better, fuller life and a perfect life after death.

당신은 하나님에 대한 진리를 알 필요가 있습니다. 하나님은 우주의 창조주이시고 지배자이시고 심판자이십니다. 창조주로서 하나님은 스스로 만드신 것을 소유하고 계십니다. 지배자로서 하나님은 피조물과 세계의 유익을 위하여 어떤 법칙을 갖고 계십니다. 심판자로서 하나님은 순종과 불순종에 따라 모든 사람에게 상을 주기도 하고 징벌하기도 합니다. 하나님은 당신의 창조주, 지배자, 심판자이시므로 당신은 그에 대한 진리와 그가 당신에게 무엇을 기대하는지 알아야 합니다. 또한 하나님은 사랑의 아버지 이십니다. 그는 진정한 기쁨을 주십니다. 그의 사랑과 축복을 누리기 위하여 그를 알아야 할 필요가 있습니다. 그는 생명의 주이십니다. 그는 더 좋고 풍요한 삶을 주시고 죽은 후에는 완전한 생명을 주십니다.

You can learn something about a person by looking at his work. When you look at the world that God has made, you know that he is very wise and powerful. "For since the creation of the world God's invisible qualities — his eternal power and divine nature — have been clearly seen, being understood from what has been made, so that man are without excuse(Romans 1:20).

그의 사역을 통하여 그를 알 수가 있습니다. 하나님이 만드신 세계를 볼 때 그가 지혜롭고 능력이 있다는 것을 알게 됩니다. "창세로부터 그의 보이지 아니하는 것들 곧 그의 영원하신 능력과 신성이 그 만드신 만물에 분명히 보여 알게 되나니 그러므로 저희가 핑계치 못할지니라." (로마서 1:20)

You can find out the truth about a person from those who know him personally. In the Bible we read thrilling accounts of many people who know God personally. He talked with them, solved their problems, and supplied their needs. He healed their bodies and gave them strength and joy. God hasn't changed. Today in all continents you can find thousands of persons who know and love God. They will tell you how wonderful He is.

"We proclaim to you what we have seen and heard, so that also may have fellowship with us. And our fellowship is with the Father and with his Son, Jesus Christ" (1John 1:3).

하나님을 인격적으로 알고 있는 자를 통하여 그분의 진리를 알 수 있습니다. 성경에서 하나님을 인격적으로 알고 있는 많은 사람의 놀라운 내용을 읽을 수 있습니다. 하나님은 그들과 말씀하셨고 그들의 문제를 해결하셨으며 그들의 필요를 채워 주셨습니다. 하나님은 그들의 몸을 치유하셨고 힘과 기쁨을 주셨습니다. 하나님은 변치 않습니다. 오늘날 세계 각처에서 하나님을 알고 사랑하는 많은 사람을 발견할 것입니다. 그들은 하나님이 얼마나 놀라운지를 말할 것입니다. "우리가 보고 들은 바를 너희에게도 전함은 너희로 우리와 사귐이 있게 하려 함이니 우리의 사귐은 아버지와 그 아들 예수 그리스도와 함께 함이라"(요한일서 1:3).

You can know a person by reading his writing or by hearing his talk. God talks to you in the Bible. In it you can discover his character, plan and love for you. "You diligently study the Scriptures because you think that by them you possess eternal life. These are the Scriptures that testify about me" (John 5:39).

하나님의 글을 읽고 말씀을 들음으로써 그를 알 수 있습니다. 하나님은 성경을 통해 말씀하십니다. 그 속에서 하나님의 인격, 계획과 당신을 위한 사랑을 알 수 있습니다. "너희가 성경에서 영생을 얻는 줄 생각하고 성경을 상고하거니와 이 성경이 곧 내게 대하여 증거하는 것이로다"(요한복음 5:39).

You can know a person well by living, talking, and working together with him. God wanted us to know Him in this way so that He sent His Son Jesus Christ among men. Jesus is just like his Father, and in Him you can see the nature of God. You can know God through Christ.

당신은 그와 함께 살고 이야기하고 일함으로써 그를 잘 알 수 있습니다. 하나님은 이와 같이 그를 알기 원하십니다. 그래서, 그의 아들 예수님을 사람들 가운데 보내셨습니다. 예수님은 아버지와 같으십니다. 예수님 안에서 하나님의 본질을 볼 수 있습니다. 당신은 그리스도를 통하여 하나님을 알 수 있습니다.

When you accept Jesus Christ as your Saviour, he will reveal God to you. As you talk with Him in prayer and read His Word, you will experience His presence.

당신이 예수님을 구주로 영접할 때 예수님은 하나님을 보이실 것입니다. 기도로 그와 이야기하고 그의 말씀을 읽을 때 그의 임재를 체험할 것입니다.

W here Do I Go Now?
• 이제 나는 어디로 갑니까?

There are many ideas about what will happen when we die. Some says that we all shall be annihilated, while some says we go to heaven. Others believe in a place for a sinful soul as a preparation for heaven. But nothing in the Bible support these ideas.

우리가 죽을 때 무슨 일이 일어나는가에 관해서 여러 가지 의견이 있습니다. 어떤 사람은 우리가 모두 멸절된다고 합니다. 또 어떤 사람은 우리 모두가 천국에 간다고 합니다. 어떤 사람은 죄지은 영혼들이 천국에 가기 위해 준비하는 장소가 있다고 믿습니다. 그러나, 성경은 이런 의견들을 지지하지 않습니다.

Instead, we read like this : man is destined to die once, and after that to face judgement. Those in a good relationship with God shall be welcomed into heaven, spending eternity in his glorious days. The rest shall be punished with everlasting destruction.

212

그 대신에 이와 같은 말씀이 있습니다. 사람이 죽는 것은 정한 이치요 죽은 후에는 심판이 있습니다. 하나님과 올바른 관계를 맺은 사람은 천국에서 환영을 받을 것이며 그의 영화로운 임재

속에 영원히 살 것입니다. 나머지 사람들은 영원한 멸망 속에서 벌을 받을 것입니다.

Hell is factual. It is not invented by church. The Bible says about hell more than about heaven, which leaves no doubt about its reality. It speaks of people condemned to hell and thrown into hell.

지옥은 실제로 있습니다. 지옥은 교회에서 조작한 것이 아닙니다. 성경은 천국보다 지옥에 대하여 더 많이 얘기하고 있습니다. 그리고 그 실체를 의심하지 않습니다. 성경은 정죄받은 사람이 지옥에 던져진다고 말씀합니다.

Hell is fearful. It is described in the Bible as a place of torment, a fiery furnace, a place of everlasting burning and unquenchable fire. It is a place in suffering, with weeping and gnashing of teeth, in which there is no rest day and night. These are terrible words, but they are true.

지옥은 무섭습니다. 성경은 지옥을 고통의 장소, 불타는 용광로, 영원히 불타고 꺼지지 않는 불의 장소로 묘사하고 있습니다. 지옥은 울며 이를 가는 고난의 장소이며 그 곳은 밤낮 쉼이 없습니다. 무서운 말이지만 사실입니다.

213

Hell is final. All roads to hell is one way street. There is no exit. Between hell and heaven a great chasm has been fixed. Horror, loneliness and agony of hell is not existed in order to purify, but to punish for ever.

지옥은 끝입니다. 지옥으로 가는 길은 모두 일방통행입니다. 출구가 없습니다. 지옥과 천국 사이에는 깊은 구멍이 고정되어 있습니다. 지옥의 공포, 외로움 그리고 고뇌는 정결하게 하기 위한 것이 아니라 영원히 벌을 주기 위한 것입니다.

Hell is fair. The Bible tells us that God will judge the world with justice. He is perfectly just in sending sinners to hell. After all, He rewards them what they have chosen. They reject God here ; He rejects them there. They choose to live ungodly lives ; He confirms their choice for ever. God can hardly be accused of injustice or unfairness!

지옥은 공평합니다. 성경은 하나님이 세상을 정의로 심판하실 것이라고 말씀합니다. 하나님은 죄인을 지옥에 보내는 데 매우 공정하십니다. 하나님은 결국 사람이 선택한 것을 그대로 보상해 주십니다. 사람들이 현세에서 하나님을 거절하면 하나님도 그들을 내세에서 거절합니다. 사람들이 불경건한 삶을 선택하면 하나님은 그들의 선택을 영원히 확정합니다. 하나님을 불의하거나 불공정하다고 비난할 수는 없습니다.

Can Religion Help? • 종교가 도울 수 있을까요?

Man has been called a religious animal. They have worshipped the sun, the moon and stars ; earth, fire and water ; idols of wood, stone and metal. They have worshipped countless gods and spirits which have been the products of their own perverted imagination. Others have attempted to worship a true God through a vast variety of sacrifice, ceremony, sacrament and service. But, religion can never solve the problem of man's sin for at least three reasons.

인간을 종교적인 동물이라고 합니다. 인간은 해와 달, 별, 땅, 불, 물, 나무와 돌 그리고 금속으로 만든 우상을 경배해 왔습니다. 인간은 자신들이 왜곡된 상상으로 만든 수많은 신과 영에게 절합니다. 그러나, 어떤 사람은 여러 가지 희생제물, 의식, 성례와 예배로 참 하나님을 경배하기 시작했습니다. 그러나, 종교는 최소한 세 가지 이유로 인간의 죄에 관한 문제를 풀 수가 없었습니다.

Religion can never satisfy God. It is man's attempt to make himself right with God. But, any attempt is futile because even the best effort of men is flawed and unacceptable to God.

종교는 하나님을 만족시킬 수 없습니다. 종교는 하나님과 일치하려는 인간의 시도이지만 그 시도는 무익합니다. 이는 인간이 아무리 최선의 노력을 하여도 결점투성이며 하나님께 인정받을 수 없기 때문입니다.

Religion can never remove sin. Your virtue can never cancel out your vice. A good deed can never remove a bad one. If a person gets right with God, it is not by works so that no one can boast. No religious efforts or experiences can cancel out a single sin.

종교는 결코 죄를 제거할 수 없습니다. 당신의 덕이 당신의 악을 말소시킬 수는 없습니다. 선한 행위로 나쁜 행위를 결코 제거할 수 없습니다. 만일 사람이 하나님과 올바른 관계를 맺으면 행위로 된 것이 아니므로 아무도 자랑할 수 없습니다. 어떤 종교적인 노력이나 경험일지라도 단 하나의 죄도 말소시킬 수 없습니다.

Religion can never change man's sinful nature. A person's behaviour is not a problem, but a heart of man is a problem. By nature man's heart is corrupt and depraved. To go to church and take part in a religious ceremony may make you feel good, but they cannot make you be good.

종교는 인간의 죄된 성품을 변화시킬 수 없습니다. 사람의 행동이 문제가 아니라 사람의 마음이 문제입니다. 본래 사람의 마음은 타락하고 부패하였습니다. 교회에 다니고 종교적인 의식(儀

式)을 하면 기분은 좋아질지 모르나 당신을 선하게 만들 수는 없습니다.

Journey into Life • 인생의 여정

A : Are you a Christian?

A : 당신은 그리스도인입니까?

B : I was brought up in a Christian home.

B : 저는 기독교 가정에서 자랐습니다.

A : That doesn't make you a Christian.

A : 그 사실이 당신을 그리스도인으로 만들지는 않습니다.

B : My mother always went to church.

B : 저의 어머니는 항상 교회에 다녔습니다.

A : That doesn't make you a Christian.

A : 그것이 당신을 그리스도인으로 만들지는 않습니다.

B : I believe in doing good, helping others.

B : 저는 선행과 구제를 믿습니다.

A : Quite right, too, but so do most people. That doesn't make you a Christian.

A : 그 말이 옳고 또 많은 사람이 그렇게 합니다. 그러나 그것이 당신을 그리스도인으로 만들지는 않습니다.

B : I was baptised and confirmed.

B : 저는 세례도 받고 견진례도 받았습니다.

A : So are thousands who care little about Christ. That doesn't make you a Christian. Many people say they are Christians but rarely think about Christ.

A : 예수님에 대해 관심이 없는 사람도 그렇습니다. 그것이 당신을 그리스도인으로 만들지는 않습니다. 많은 사람이 자신을 그리스도인이라고 말하지만 그리스도에 대해서는 별로 생각하지 않습니다.

B : Well, what is a Christian, then?

B : 그렇다면 그리스도인이란 무엇입니까?

A : Let's begin at the very beginning.
In the beginning when God made man, He made him perfect, good and sinless. He wanted him to be his friend and look after the earth.

A : 처음부터 시작합시다. 태초에 하나님이 인간을 만드실 때 완전하고 선하게 그리고 죄 없게 만드셨습니다. 그는 인간이

자신의 친구가 되고 세상을 돌보기를 원했습니다.

God did not make man a robot or a machine. He gave man a precious gift, free will, to choose the right and the wrong, the good and the bad. He did not want to force man to love Him. He wanted man to love Him freely.

하나님은 인간을 로봇이나 기계로 만들지 않았습니다. 그는 인간에게 귀한 선물 즉, 자유의지를 주어서 옳고 그름, 선과 악을 선택할 수 있도록 하였습니다. 그는 인간이 자신을 강제로 사랑하는 것이 아니라 자유롭게 사랑하기를 원했습니다.

But, man chose to disobey God ; he chose the wrong. He preferred to please himself rather than God. He committed a sin so that the sin entered into the world. It is a disease we all have, because all have sinned(Romans 3:23).

그러나, 인간은 하나님께 불순종하기를 선택했고 악을 선택했습니다. 인간은 하나님보다 자신을 기쁘게 하는 것을 좋아했습니다. 그래서, 인간은 죄를 지었고 죄가 세상에 들어왔습니다. 죄는 우리 모두가 갖고 있는 병입니다. 왜냐하면 모든 사람이 죄를 범했기 때문입니다(로마서 3:23).

220

Evil, wrongness, and sin exist in the life of everyone born into the world. We see this in hatred, violence, greed and selfishness in the world. We see it as we look at our own lives, even if we are really honest to ourselves. It is a part of our nature. I commit a sin when I fall short of God's view. All have sinned and fall short of the glory of God.

악과 나쁨과 죄는 이 세상에 태어나는 모든 사람들의 삶 속에 있습니다. 우리는 세상에 있는 증오와 폭력, 욕심과 이기심에서 이것을 봅니다. 또한 우리가 정직하다 할지라도 우리의 삶 속에서도 이것을 봅니다. 그것은 우리 본성의 일부분입니다. 하나님의 표준에 미달할 때 죄를 짓습니다. 모든 사람이 죄를 범했고 하나님의 영광에 이르지 못했습니다.

Sin is not just to kill, to steal or to tell a lie. I commit a sin when I live for pleasing myself rather than God. I commit a sin in saying, "I'm a boss ; it's my life ; I can do whatever I like. I commit a sin when I do not love God with all my heart."

죄라는 것은 단지 죽이고 도둑질하고 거짓말하는 것만이 아닙니다. 하나님보다 자신을 기쁘게 하려고 살 때 죄를 짓습니다. 내가 인생의 주인이고 내가 좋아하는 것은 무엇이든지 할 수 있다고 말할 때 죄를 짓습니다. 내가 마음을 다해 하나님을 사랑하지 않을 때 죄를 짓습니다.

What are you going to do about it? You cannot remove a barrier. You cannot save yourself. To help and to do a good thing cannot remove the barrier. If a sin results in our presence cutting out of God, is there a hope for us?

이것에 대해 당신은 어떻게 하시겠습니까? 당신 스스로 그 장벽을 제거할 수는 없습니다. 당신은 당신 자신을 구원할 수 없습니다. 다른 사람을 구제하고 선행을 베풀지라도 이 장벽을 제거할 수는 없습니다. 죄가 우리를 하나님으로부터 단절시켰다면 우리에게 희망은 없습니까?

God proved his love for us and demonstrated it : "For God so loved the world that he gave his one and only Son, that whoever believes in him shall not perish but have eternal life." But how did a death of Jesus Christ prove God's love to us? How did it remove the barrier of sin between us and God?

하나님은 우리를 위한 그의 사랑을 증명하셨습니다. "하나님이 세상을 이처럼 사랑하사 독생자를 주셨으니 이는 저를 믿는 자마다 멸망치 않고 영생을 얻게 하려 하심이라"고 말씀합니다. 어떻게 예수님의 죽음이 하나님의 사랑을 우리에게 증명합니까? 어떻게 우리와 하나님 사이에 있는 죄의 장벽을 제거했습니까?

God's character is justice and love. His justice rightly condemns man, for sin must be punished. His love makes him long for friendship again. On the cross, His justice and His love were perfectly satisfied. Sin had to be punished, so God in His love sent His Son Jesus Christ to die in our place, bearing the death penalty our sins deserved.

하나님의 성품은 정의와 사랑입니다. 그의 정의는 사람을 정죄합니다. 왜냐하면 죄는 형벌을 받아야 하기 때문입니다. 그의 사랑은 인간이 다시 그의 친구가 되기를 원합니다. 십자가 위에서 그의 정의와 사랑이 완전하게 충족되었습니다. 죄는 벌을 받아야 합니다. 그래서 하나님은 그의 사랑 안에서 그의 아들 예수 그리스도를 보내어 우리를 대신하여 죽게 하여 우리의 죄로 인해 죽을 형벌을 그에게 담당시켰습니다.

His work of saving you from hell and eternal destruction is finished. The barrier of sin has been blasted away. Jesus died for us, His body was put in the tomb and a great stone was pushed across the entrance. But, He rose from the grave. He is alive. He won the victory over sin and death.

우리를 지옥과 영원한 형벌에서 구해 준 그의 사역은 완성되었습니다. 죄의 장벽은 무너졌습니다. 예수님은 우리를 위해 죽으셨습니다. 그의 몸은 무덤에 놓였고 큰 바위가 입구를 막았지만 그는 무덤에서 부활하여 지금도 살아 계십니다. 그는 죄와 죽음을 이기고 승리하셨습니다.

Do you want to live an easy going or do-as-you-like life? But, you should remember this : one day you will realize it is too late that you have missed the best in life, wasted your life and ruined your own soul. To live without Christ is to die without Him. To die without Him is to spend eternity without Him.

태평스럽고 당신이 원하는 대로 사는 삶을 원하십니까? 그러나, 이것을 기억하십시오. 어느 날 인생의 중요한 것을 잃었고 인생을 낭비했으며 영혼이 파멸되었다는 것을 늦게서야 깨달을 것입니다. 예수님 없이 사는 것은 그분 없이 죽는 것이며 그분 없이 죽는 것은 그분 없이 영원(永遠)을 보내는 것입니다.

But if you want a life that satisfies, it has a purpose and a meaning, this is what God requires of you. Forgiveness and eternal life are not automatic so there must be your role.

만일 당신이 만족한 인생 즉, 목적과 의미를 갖는 인생을 원한다면 이것은 바로 하나님이 당신에게 요구하는 것입니다. 용서와 영원한 생명은 자동으로 오는 것이 아니라 당신의 역할이 있는 것입니다.

You must admit that you have sinned in the sight of God. Repent it. Turn from every thought, word, action and habit that you know to be wrong.

당신이 하나님 보시기에 죄인이라는 사실을 인정해야 합니다. 회개하고 모든 잘못된 생각과 말과 행동과 습관에서 돌아서야 합니다.

You must believe that Jesus Christ died on the cross bearing all the guilt and penalty of your sin.

예수님이 당신의 죄와 죄의 형벌을 담당하려고 십자가에서 죽으셨다는 사실을 믿어야 합니다.

You must consider that Jesus never promised it would be

easy to follow Him. You should expect opposition, sneer, and misunderstanding. Every part of your life, work, friendship, time, money must be conquered under His control.

예수님께서 자신을 따라오는 것이 결코 쉽지 않다고 하신 사실을 기억해야 합니다. 당신 앞에 반대와 조소와 오해가 기다립니다. 당신의 인생, 직업, 우정, 시간과 돈 등 모든 것이 그의 통제 안에 들어와야 합니다.

You must accept Jesus Christ into your life to be your Lord who controls you and to be your Saviour who saves you.

예수님을 당신의 인생을 통제할 주님과 당신을 구원할 구원자로 영접해야 합니다.

Is Christ in your life or out of your life? Will you let him in or keep him out? You cannot ignore Christ's invitation for ever. Time is fast running out.

예수님이 당신의 인생 안에 있습니까 밖에 있습니까? 그분을 안으로 모시겠습니까 밖에 놔두시겠습니까? 영원히 그리스도의 초청을 무시할 수는 없습니다. 시간이 빨리 지나가고 있습니다.

225

Lord Jesus,
I know I have sinned in my thoughts, words and acts.
There are many sinned things that I have done.
Forgive me.

I offer my life to you.
Now I ask you to come into my life.
Come in as my Saviour to cleanse me.
Come in as my Lord to control me.
And I will serve you for the rest of my life
under complete obedience.
In the name of Jesus, I pray. Amen.

주 예수님,
저는 생각으로 언행으로 죄를 지었음을 시인합니다.
제가 지은 많은 죄들이 있습니다.
저를 용서하여 주옵소서.
저의 생명을 당신께 드립니다.
지금 저의 인생에 들어오시기를 간구합니다.
저의 구세주로 오셔서 깨끗게 하여 주옵소서.
저의 주님으로 오셔서 저를 통제하여 주옵소서.
저의 남은 일생을 온전히 순종함으로 섬기겠습니다.
예수님의 이름으로 기도합니다. 아멘.

예영커뮤니케이션의 책들

위기에 처한 아이들

예영커뮤니케이션 편집부 엮음/신국판/352쪽/7, 700원

'내 아이만은 아닐 것이다'라고 안심하고 있는 동안 우리의 사랑하는 자녀들이 당하는 정신적 · 육체적 · 문화적 고통과 위험을 짚어 보고 해결방안을 찾아보고자 기획된 책. 낙태에서부터 시작해 대중문화에 이르기까지 다양한 주제를 충분한 사례와 자료를 통해 깊이 있게 다루고 있다.

피를 나눈 형제

엘리야스 샤쿠르 · 데이비드 해자드/류대영 · 지철미/신국판/288쪽/6, 200원

전쟁의 화약고라고 일컬어지는 중동에서 태어나고 자라났으며 또한 쫓겨나야 했던 엘리야스 샤쿠르의 살아 있는 이야기. 유태인과 팔레스타인 사람을 똑같이 깊이 사랑한 그의 삶은 "적의와 충돌의 한가운데에서 어떻게 평화를 지키며 살 수 있을까"를 묻는 모든 사람에게 매우 통찰력 있는 메시지를 전해 준다.

마음을 앓는 사람들

이시가와 노부요시/노명근 · 노혜련/신국판/248쪽/5, 500원

정신병에 관해 무지, 편견 내지 무관심한 사람들의 눈을 뜨게 해 주는 책. 쇠창살에 갇혀 치료받을 기회를 박탈당하고 비인간적인 대우를 받고 있어도 당연한 것처럼 여기는 사회적 편견을 지적하고 그들을 '인간'으로 대해 줄 것을 호소한다.

바로 들어야 바로 산다

박형철/신국판/192쪽/4, 000원

하나님의 말씀이 수없이 선포되고 있지만, 그 말씀을 받는 청중은 말씀을 듣고 쉽게 흘려 버린다. 수돗물의 누수 현상같이 교회 안에서도 말씀을 듣고 헛되이 흘려 보내는 말씀의 누수 현상을 목격할 수 있다. 훌륭한 설교자만큼이나 훌륭한 청중은 중요하다.

디아스포라의 현주소

송인규/신국판/180쪽/1, 800원

디아스포라는 헬라어로 '흩어진 사람들'이라는 뜻으로 미국 사회에 흩어져 살고 있는 우리 한국 사람들을 상징적으로 표현한 단어. 이 책은 이러한 이민자들의 교회에 대한 분석적 성찰과 함께 이민 교회의 역량이 동력화될 때의 가능성을 제시하고 있다.

그리스도의 찢긴 몸

송인규/신국판/91쪽/2,200원

우리가 교회를 진정 그리스도의 몸으로 여긴다면, 이토록 갈기갈기 찢어 놓을 수 있을까? 이 질문은 21세기 한국교회의 미래를 책임져야 할 사람이라면 누구라도 피할 수 없는 가장 심각한 물음이다. 이 책은 이 물음 앞에 결단하고자 하는 송인규 목사의 작은 시도이다.

숨쉬는 이야기

조정칠/신국판/253쪽/5,000원

인생이 살아온 처음부터 이야기가 있었고 인생이 살아갈 이야기는 끝이 없을 것이다. 태초의 이야기에서부터 종말의 이야기까지, 하늘의 이야기에서부터 바닷속의 이야기까지 할 이야기가 너무 많다. 우리 주변에 모두가 이야깃거리요 이야기뿐이다. 이러한 이야기들을 모아 놓은 책.

부부 커뮤니케이션

가끼다니 마사끼/조영상/신국판/160쪽/3,800원

자신이 행복한 부부라고 생각하고 있는 부부가 얼마나 될까? 일본의 경우 그 비율은 불과 5%에 불과하다. 나머지는 모두 결혼생활에 불만을 가지고 있다는 뜻이 된다. 이 책은 이러한 현실 앞에서 어떻게 하면 많은 가정을 행복으로 이끌 수 있을까를 사례를 제시해 가면서 재미 있게 설명한다.

믿음과 삶 ①
<어린 양의 집> 큰 정박아 오미오가
사랑하는 사람들에게

오미오/신국판/222쪽/4,500원

스스로 큰 정박아라고 자처하는 <어린 양의 집> 오미오 원장의 눈물어린 기도와 사랑의 아픔을 기록한 책. 90년부터 92년 사이에 쓰여진 시와 편지들이 사진과 함께 실렸다.

믿음과 삶 ②
늙고 병들면 난들 오죽하리

최희선/신국판/144쪽/3,000원

병마에 시달리는 시어머니를 지극한 정성으로 간호하며 가족 모두를 결국 그리스도께로 인도하는 어느 효부 그리스도인의 신앙간증집. 효의 개념이 희미해져 가는 이 시대에 진정한 사랑과 효를 일깨워 준다.

믿음과 삶 ③
아빠 교회 그만하고 슈퍼 하자요

이광호/신국판/181쪽/4,000원

세상 가운데 살아가는 그리스도인들이 직면하는 생활의 여러 다양한 소재들을 모아 놓은 칼럼집. 그리스도인은 어떠한 존재이며, 그가 어떻게 세상을 살아가는 것이 지혜로운 삶인지를 다양한 소재를 통해 이야기하고 있다.

믿음과 삶 ④
더불어 나누는 즐거움

이광호/신국판/194쪽/4,000원

하나님의 위로와 권면이 가져다 주는 열매를 모아 놓은 책. 항상 즐거움과 평안만 존재할 수 없는 이 시대의 성도들이 그래도 평안 가운데 살아갈 수 있는 것은 하나님으로부터 오는 위로와 권면이 있기 때문임을 이야기한다.

이슬람 연구 ①
무슬림은 예수를 누구라 하는가?

이슬람 연구소 엮음/신국판/240쪽/6,200원

세계선교를 꿈꾸는 우리에게 이슬람권에 대한 이해는 거의 필수적. 하지만 아직도 이에 대한 연구는 그다지 활발하지 못한 형편. 따라서 이슬람 세계와 이슬람교에 대한 역사적·신학적·문화적 이해를 돕는 기초적이며 일반적인 글들을 수집·편집한 이 책의 가치는 더욱 빛난다.

오빠가 보내는 전도 편지

이왕복/신국판/64쪽/1,000원

오빠가 자신의 삶 속에서 느끼고 생각한 것들을 사랑하는 동생에게 이야기하는 편지글의 형식으로 쓰여진 전도용 책자. 편안한 마음으로 읽는 가운데 자연스럽게 복음을 접할 수 있으므로 주위의 믿지 않는 이들에게 부담없이 권할 수 있어서 좋다.

초급 아랍어문법

공일주/크라운판/376쪽/9,000원

아랍어문법서 16권을 조사하여 기초문법의 대강을 충실히 다룬 책. 풍부한 읽기 자료와 말하기 자료, 쓰기 자료, 문화이해를 위한 내용을 삽입해 재미 있고 실용적으로 꾸몄으며 연습문제와 해답을 실어 자습효과를 극대화시켰다.

라틴어 강좌

김광채/크라운판/302쪽/8,000원

신학 특히 역사신학을 연구하면서 라틴어의 필요성을 절감한 저자가 신학연구를 보다 효율적으로 하기 위해 나름대로 공부한 라틴어를 정리한 책. 강의용으로서뿐 아니라 혼자 공부하는 사람들에게도 도움이 되도록 꾸몄다.

기독교와 불교의 비교론

서재생/신국판/252쪽/4,500원

불교와 기독교, 이 두 종교의 신도들 중 상당수가 상대방 종교를 경원시하거나 멸시하는 경우가 종종 있다. 한때 승려였다가 목사가 된 저자는 이러한 생각의 폐단을 지적하고 먼저 복음을 전하기 위해서는 불교의 교리를 잘 알아야 한다고 주장한다. 이 책은 그러한 필요에 의해 쓰여졌다.

스님! 예수 믿으면 좋겠어요

서재생/신국판/240쪽/4,000원

서재생 목사의 간증문으로 승려의 삶에서 목사로 변화되기까지의 드라마틱한 인생을 그리고 있다. 장종양으로 앓던 고통에서 해방시켜 주실 뿐 아니라 영혼을 구원하신 하나님에 대한 찬양이 가득하다.

목사님, 「나무아미타불」이 뭐예요

서재생/신국판/282쪽/6,000원

기독교인들이 알고자 하는 불교교리를 질의 응답 형식으로 꾸민 책. 만다라란 무엇인가, 목탁은 왜 치는가, 윤회사상과 기독교의 부활은 무엇이 다른가 등 80개의 문답이 실려 있어 불교 사상을 이해하고 그들을 전도하는 데 도움이 되도록 했다.

모퉁이돌 신서 ①
중국교회를 지킨 위대한 하나님의 종 왕명도

데이빗 형제/모퉁이돌선교회/신국판/136쪽/2,800원

위대한 설교자료, 목회자료, 집필가로 그리고 중국교회를 지킨 '참 신자'로 영원히 기억될 왕명도 목사의

전기. 중국교회에 대한 공산당의 핍박으로 22년 10개월간 징역살이를 했던 그는 평생을 기뻐하는 자와 함께 기뻐했으며 슬퍼하는 자와 함께 슬퍼하는 삶을 살았다.

한국신학총서 [1]
그리스도의 속죄의 완전성

한제호/신국판/688쪽/12,000원

평생을 이 책 한 권을 쓰고 다듬는 데 바쳐온 노 교수이자 목회자인 한제호 목사의 역작. 인본주의에서 신본주의 사고로 돌아가는 뿌리와 열쇠는 '다윗의 뿌리와 열쇠이신 그리스도'의 속죄의 완전성을 성경에서 정해하는 한 길이 있을 뿐임을 본서는 밝히고 있다.

문화선교 사역에로의 초대

김승태/신국판/176쪽/3,500원

본서는 그리스도인을 대상으로 쓴 것으로, 복음선교의 방법으로서의 문화선교를 제안한다. 저자는 문화선교에 헌신한 많은 사람들이 단순한 열정만으로 사역하려는 것의 오류를 지적하며, 복음선교에 평신도들이 참여하는 전문인 사역을 권하고 있다.

예수님이 찾은 사람들

고정남/46배판/168쪽/7,000원

예수님을 만난 평범한 사람들의 감동을 위대한 찬송가, 복음성가, 성화와 함께 실은 책. 성탄에서 부활, 승천에 이르기까지 예수님의 생애와 예수님이 찾은 사람들의 모습이 성경말씀과 더불어 각 페이지마다 펼쳐진다.

찾으면서 배우는 그림성경
꼭꼭 숨어라

민경숙, 강민주 그림/김승태 외 글/타블로이드판/24쪽/8,000원

5~10세 어린이를 위한 성경이야기 그림책. 10가지의 장면이 10장의 그림 속에 표현되어 있다. '찾아보세요'와 '알아맞혀 보세요' 항목이 있어 어린이들이 직접 그림을 찾아보고, 또 부모님과 함께 문제를 풀어볼 수 있게 꾸몄다.

왜 뉴에이지에 사람들이 매혹되는가?

바실레아 슬링크 외/김희성/신국판/144쪽/2,500원
세속적 인본주의와 신비사상에 바탕을 둔 뉴에이지 운동의 반기독성을 폭로하고 그에 따른 그리스도인으로서의 대안을 모색하고자 한다.

서로 봉사하는 교회

유의웅/신국판/344쪽/6,000원
하나님 나라를 이 땅에 구현하기 위하여 지역사회 주민에 대한 교육봉사 및 복지사업을 실시함으로써 주민생활의 질을 향상시키며, 복음을 전파하여 지역주민과 교회가 함께 살아가는 데 그 목적을 두고 있는 도림교회 유의웅 목사의 설교집이다.

음향시스템 핸드북

장호준/46배판/208쪽/8,000원
이 책은 음향에 대한 이론보다는, 필자의 지식과 경험을 토대로 한 실제 작업에 필요한 사항들이 쓰여져 있다. 교회, 학교, 기업체 등의 방송실이나 레코딩, 스튜디오, 음향회사, 유선방송국 등의 음향시스템 운용자들에게 유용한 지침서가 될 것이다.

당신의 가슴을 두드리는 소리

김석년/46판/120쪽/2,500원
우리의 가슴을 두드리는 주님의 음성에 귀기울이도록 우리를 차분한 마음으로 이끌어 주는 신앙시집. 52편의 시와 성구를 담고 있다.

사막의 샘
① 믿음편 ② 위안편

Mrs. 찰스 E. 카우만/차동행/신46판/① 156쪽 ② 152쪽/각권 3,000원
1920년 출간된 이후 전세계적으로 널리 읽혀지면서 독자들에게 깊은 감동을 준 카우만 부인의 편저작. 수많은 명저와 문헌 중 발췌하여 엮은 것으로 역경에 처한 그리스도인에게 삶의 용기를 갖게 해 준다.